A.M. Doreen Grenier

veillé accette

frère de . ma [illisible]

de vie .

Jean Guy Labrosse

a venir. Le Bill omnibus

et ses trois sexe

Orphelin, esclave de notre monde

Distributeur: L'Agence de distribution populaire

Photo-composition: l'idée composée enr.

Maquette: M. Roberge

Copyright © : 1977 Les Éditions du Jour Inc.

Dépôt Légal: 3e Trimestre 1978

Bibliothèque Nationale du Québec

ISBN: 0-7760-0761-0

Imprimé au Canada

Orphelin,

esclave de notre monde

Jean-Guy Labrosse

**éditions
du jour**

5705 est, rue Sherbrooke,
Montréal, Qué.

I Comment j'ai pu retrouver ma propre mère

Depuis ma tendre enfance, mon premier désir, c'était de revoir ma propre mère car, d'après moi, c'est un désir que tout être humain devrait connaître parce que c'est le noyau de la vie qui commence par là. Une fois libéré le 5 mai 1963 à 9:50 heure du matin, je suis allé à la crèche d'Youville au 5707 du Chemin côte de Liesse. Une fois arrivé là, j'ai rencontré la Mère Supérieure pour lui dire que je n'avais pas d'ouvrage et que j'avais un congé de trois jours qui m'avait été donné par l'hôpital St-Charles de Joliette. Si je trouvais un travail d'ici là, j'étais obligé de retourner à l'hôpital à nouveau. La Mère m'a demandé d'attendre un peu. *"Je vais discuter avec la directrice du personnel. Je vous donnerai une réponse vers les 10:30 h. du matin"* me dit-elle. J'ai attendu en espérant recevoir de bonnes nouvelles. Comme elle m'a promis que j'aurais une réponse, elle m'a dit: *"Vous êtes engagé mais vous allez dîner ici et vous commencerez à la buanderie à 11:30 h. a.m.".* Alors j'étais heureux d'avoir cette bonne nouvelle. Je me sentais en sécurité d'avoir eu une "job". J'ai commencé à travailler à la buanderie sur des essoreuses. Je gagnais 52 dollars bruts en une semaine de 44 heures d'ouvrage. Après ma première journée, je cherchai une chambre car dans Montréal même, je me trouvais égaré. La ville avait changé depuis douze ans et je me trouvais perdu devant les édifices en hauteur et les autoroutes. J'ai réussi à me trouver un abri au 8561 rue St-Denis (entre Liège et Crémazie), abri pas très confortable. Le propriétaire, M. G. Gosselin, m'avait offert temporairement de me coucher au sous-sol car la plupart des chambres étaient occupées. Alors je me suis installé sur un matelas sans sommier. Le matelas était placé sur le plancher de ciment. Je n'avais pas de lavabo ni de toilette et si je voulais me laver, il fallait que je monte au premier étage: je fis défaire mon paquet (donné par l'hôpital St-Charles) qui contenait une paire de "short", une chemise, un pantalon, une paire de bas, une débarbouillette et une serviette. C'était tout ce que je possédais. Pour mon salaire, la crèche me gardait 15 jours en arrière. Mais j'avais économisé 65 dollars que j'avais ramassé de peine et de misère et qu'il me fallait économiser pour quatre semaines à venir. Une semaine plus tard, le propriétaire, pour le confort que j'avais, me réclama 5 dollars par semaine. De temps en temps, je lui demandais quel jour je pourrais aller coucher dans une chambre plus confortable que le sous-sol. Il m'a répondu: *"Quand j'aurai une chambre de libre"*. Les semaines passèrent tout en continuant à vivre comme un misérable, en payant 5 dollars par semaine. Quand la quatrième semaine commença, le propriétaire m'annonça qu'il venait d'avoir

une chambre de libre au troisième étage. Ah!
Quand il vint m'annoncer cette nouvelle, j'étais
l'homme le plus heureux. Je me disais que j'allais
pouvoir coucher comme tout être humain normal. Cependant, il me chargea 10 dollars de plus
par semaine, mais j'étais heureux de quitter ce
sacré sous-sol qui était un enfer pour moi car le
système central me réveillait chaque fois qu'il se
mettait en marche. Une fois établi à mon aise, je
décidai de ménager mes salaires pour refaire une
nouvelle vie dans notre société. Plus tard, j'ai
acheté un radio et une télévision Admiral de
17 pouces et je me sentais plus à mon aise. Je fis
acheter un habit et d'autres linges. Tout allait
bien. À temps perdu, j'allai au bureau où je pouvais réclamer mon certificat de naissance. Alors
la soeur m'a demandé quel âge j'avais. Je lui ai
répondu que j'avais 23 ans et 11 mois. Elle m'a
demandé ma date de naissance, soit le 19 août
1939. Alors ils ont sorti mon dossier tout en
préparant mon certificat de naissance que j'avais
demandé. Une fois qu'elle m'avait remis le certificat, je me suis rendu compte que le nom de
mon père et de ma mère était inconnu et que
j'avais été baptisé le 26 août 1939 sous le nom
de Jean-Guy Labrosse et aujourd'hui je porte le
nom de Jean-Guy Labrosse qui est le nom fictif
que la crèche m'avait donné. Mais le nom de
mon parrain et ma marraine était M. et Mme
Martineault et j'avais demandé à la soeur si
c'était mon propre parrain et marraine. Elle m'a
répondu qu'on prenait un employé qui veut être
parrain et ainsi de même pour les marraines. J'ai
demandé à la soeur qui était en charge des ar-

chives si elle pouvait me donner le nom de mon
propre père et mère. Elle m'a répondu qu'elle
n'avait pas ça et que c'était le bureau de la protection de l'enfance de Montréal, situé au coin
de Sherbrooke et St-André, qui avait toutes les
descriptions des parents. Je lui ai demandé où se
trouvait le bureau de la société de la protection
de l'enfance. L'adresse qu'elle me donna était
874 rue Sherbrooke Est. Alors j'ai pris un rendez-vous. Une fois arrivé sur les lieux, la récep-
tionniste m'a demandé: *"Qu'est-ce qu'on peut
faire pour vous?"* Alors je lui ai dit que j'avais
pris un rendez-vous avec Mme Laboutin. Alors
elle me dit d'attendre car elle était occupée.
Tout le temps que j'attendais, je voyais du monde qui venait faire une demande pour adopter un
enfant. Cependant, pour moi c'était autre chose
car je venais chercher des indices qui pouvaient
me mener à ma propre mère. Une demi-heure
plus tard, ce fut mon tour. Je me présentai à elle
afin de me renseigner à savoir pour quelle raison
mon père et ma mère étaient enregistrés avec un
nom inconnu sur mon baptistaire. Elle m'a répondu que la loi obligeait de ne pas donner aucun indice sur tout père ou mère qui ne voulait
pas que leur enfant en connaisse plus long. Alors
j'étais déçu et je me suis dit pourquoi mon propre père et ma mère m'ont-ils mis dans un monde sans foyer et sans amour, pourquoi je vivais
dans un monde perdu et sans protection familiale et que la plupart de mon entourage avait un
chez-eux. C'est alors que Madame Laboutin me
dit: *"Laisse toi pas aller".* Mais je lui ai demandé
comment vous voulez que je sois encouragé avec

des réponses défavorables. Alors pour une dernière fois, je lui ai demandé si il y avait une possibilité que je puisse prendre d'autres recours, pour que je puisse alerter le public. Alors quand je prononçai ces mots il me vint une idée. Ainsi pour moi, il me restait une seule issue: demander l'aide des journaux. Alors je connaissais un journaliste à qui je pouvais donner des détails de ma naissance. Alors Madame Laboutin me souhaita bonne chance. Je l'ai remerciée et je n'avais aucune rancune envers elle car elle était obligée de suivre les directives qui avaient été données pour tout orphelin même s'ils voulaient avoir plus d'indices sur leur père et leur mère inconnus. Elle m'avait dit que je n'étais pas le seul qui avait été déçu car d'autres l'ont quitté en pleurant tellement ils étaient déçus. Elle même sympathisait beaucoup avec nous. Même pour elle, c'était très dur de voir un enfant de personne qui venait la voir et qui repartait avec des résultats décevants. Elle même ne pouvait pas avoir accès aux vrais dossiers car sa responsabilité était de s'occuper de l'adoption des nouveaux-nés qui étaient abandonnés par une fille-mère. Alors je l'ai remerciée pour tous les renseignements qu'elle avait pu me donner et c'est grâce à elle si je porte le prénom de Jean-Guy et je fais la promesse de toujours porter ce nom de Jean-Guy que j'ai souhaité de porter depuis l'âge de 18 ans.

J'ai rencontré un journaliste qui décida de prendre mon cas en considération et qui travaillait pour le journal "La Patrie". Son nom est

C. Lavigne qui lui même a fait beaucoup de bien pour les orphelins du Québec et qui a beaucoup parlé de mon premier livre. Je lui ai dit que je voulais faire publier un article qui pouvait me mener à ma mère. Alors, je lui ai tout donné les renseignements sur ma date de naissance et je lui ai montré mon certificat que la crèche d'Youville m'avait donné pour lui. Il s'est mis à l'oeuvre pour préparer cet article. Une fois soumis au public, je n'avais qu'un espoir: recevoir une bonne nouvelle. Les jours passèrent, les mois passèrent et les années aussi, mais sans réponse pour moi. C'était du temps perdu car je n'ai reçu aucune réponse. Pour M. Lavigne, il avait fait ce qui était humainement possible pour alerter l'opinion publique. Durant les recherches, j'ai rencontré plusieurs filles-mères qui avaient lu mon premier livre et qui voulaient revoir leur enfant qui avait été donné à l'État. Je leur avait dit que je ne pouvais rien faire à part d'aller rencontrer un journaliste et lui donner la description de leur enfant. Cependant, je n'avais aucun dossier des filles-mères et je ne travaillais pas dans ce milieu là. Le seul recours était les journaux ou la cour du Bien-Être Social qui pouvait les orienter vers leur fils qu'elles avaient sacrifiés à l'État. Elles voulaient faire une bonne action car toutes les filles-mères qui m'avaient rencontré en personne se confiaient ouvertement. J'admets que pour certaines filles-mères, il s'agit de mâles affamés de la nature qui les avaient parties en famille sans leur donner le bonheur qu'elles auraient voulu connaître. Elles étaient rejetées par leur propre famille qui ne cherchait pas à découvrir qui était le vrai responsable. Alors je décidai de continuer les recherches à savoir s'il était possible d'avoir d'autres indices sur ma mère. Je rencontrai madame Moon qui travaillait pour le journal "CHOC". Pour débuter, elle fit soumettre le premier article: *"Je veux retrouver ma mère même si c'est une "pute"!"*. Cet article a été publié le 28 avril 1969. Alors, pour moi un autre espoir que je voulais voir devenir réalité. Je vais citer tous les articles qui ont pu me mener à ma propre mère.

"C'EST POURQUOI IL A ÉCRIT "MA CHIENNE DE VIE!"

"Je veux retrouver ma mère, même si c'est une "pute"! Ce poignant appel, c'est JEAN-GUY LA-BROSSE qui le lance! Jean-Guy, c'est l'auteur de "Ma chienne de vie" (roman autobiographique publié récemment aux Éditions du Jour). Ce cri du coeur fait écho au S.O.S. qu'il lança, dès 1963, dans "L'orphelin, esclave de notre monde"; puisse-t-il enfin atteindre (si toutefois Dieu lui a prêté vie) celle qui l'a privé si longtemps du plus précieux amour auquel il avait droit!

Qu'arriva-t-il, entre le 19 août et le 26 août 1939, pour qu'il soit voué, lui l'innocent, à ce sort pitoyable? Voilà la question qu'il ne cesse de se poser et de poser à d'autres depuis qu'il a décidé d'en finir avec cette hantise. La seule chose qu'il sache, puisqu'il connaît sa date de naissance à lui, c'est que sa mère aurait aujourd'hui 48 ans. Une femme jeune encore à qui il prête le visage de son rêve.

Et ça pèse lourd ce nom d'orphelin qu'on a à porter

toute son enfance, toute son adolescence, toute sa vie! Combien sont-ils comme lui à la recherche d'un passé qu'ils se refusent à admettre: pourquoi eux? Cette injustice du destin les crucifie. Jean-Guy Labrosse a tout tenté pour savoir; il s'est renseigné auprès du "Service de Protection de l'Enfance", une institution au nom pourtant prometteur:

— Mais rien à faire, dit-il; bien souvent, on refuse de répondre aux questions des orphelins qui tentent de retracer l'identité de leurs parents. Il semble pourtant que le service en question nous doit sa collaboration pour nous aider dans nos recherches bien légitimes. Pourquoi ne le fait-il pas? Je l'ignore. Serait-ce par souci d'humanité, parce que nous devons ignorer des origines douteuses ou un métier infamant? Alors, ce seraient de fausses raisons basées sur de vulgaires préjugés! Je n'ai pas honte de ce qu'aurait pu faire ma mère, pas plus de ce qu'elle pourrait être aujourd'hui! J'estime avoir le droit de tout   savoir d'elle!

UN SIGNE D'ELLE ET IL ACCOURRA!

Et Jean-Guy continue à vider son coeur:

— Même si l'on m'apprenait que ma mère est une femme de mauvaise vie, même si l'on me jetait à la face que c'est "une pute", je la reconnaîtrais!

Ce mot là, "reconnaîtrais", de la part d'un gars qui justement n'a pas été "reconnu", ça prend une valeur bouleversante!

—Ça peut arriver à n'importe qui de commettre des erreurs, à cause d'une mauvaise éducation dans un milieu défavorisé, à cause du manque d'argent. Moi, je ne vois rien de déshonorant à ça! De toute façon, je suis majeur et je peux décider de mes actes: ce que je désire le plus au monde, c'est de pouvoir embrasser ma mère! Peut-on s'opposer à un besoin aussi naturel? Quel mal y a-t-il à vouloir savoir d'où je viens, si j'ai été abandonné dans un parc, dans un terminus d'autobus, sur le seuil d'une maison bourgeoise ou d'une église? J'ai besoin d'indices pour me rapprocher peu à peu de ma mère. Si elle connaîssait mon tourment!

Il se tait un instant, comme si le chagrin accumulé lui bouclait soudain les lèvres. Et puis il reprend:

— Mais peut-être est-elle remariée et désire-t-elle que son époux ignore tout de son passé? Même là, je la comprendrais et le lui pardonnerais! Peut-être aussi a-t-elle mis au monde d'autres enfants qu'elle veut tenir à l'abri du passé? Qu'est-ce que ça fait! Nous pourrions nous rencontrer secrètement tous les deux et apprendre à nous connaître? Car, depuis bientôt trente ans, elle ignore tout de moi et j'ignore tout d'elle! Qu'elle me fasse signe et j'accourrai!

RECULER DE 29 ANS DANS LE TEMPS

Il dit encore:

— J'ai du coeur et je souffre, alors qu'elle ne me fasse pas mourir de peine! Puisqu'elle peut être sûre de mon pardon, qu'elle mette fin à mon calvaire! Comprenez-vous ce que c'est que d'être un enfant seul au monde, qui n'a jamais pu dire ce mot: "Maman"? C'est pas "disable" comme on peut souffrir! S'imagine-t-on que je m'acharne à poursuivre mes recherches uniquement pour me causer du trouble?Pense-t-on que c'est facile de reculer de vingt-neuf ans dans le temps pour reconstituer sa vie? Elle n'a peut-être jamais su que, comme orphelin, j'étais traité comme une bête de somme! À 10 ans, je lavais les planchers; à 14 ans, j'ai été obligé d'abandonner mes études pour travailler. Aujourd'hui, il m'arrive encore de me détourner pour pleurer quand je vois une mère promener ses petits. Mon plus grand désir au monde: retrouver la mienne, la tenir dans mes bras ou me blottir enfin dans les siens! J'espère que la vie sera assez clémente pour moi, une fois au moins, et me permettra ce bonheur. Il me semble que je l'aurai mérité!"

Voici la raison pour laquelle je vous ai cité l'article au complet. C'est lui qui a pu me rapporter le bonheur que je connais aujourd'hui. Quelques jours après la parution de l'article, j'ai reçu un téléphone au département du stationnement de la ville de Montréal me demandant de communiquer avec le journal "Choc" et de demander madame Moon. Alors moi, tout effrayé, j'ai communiqué avec elle et elle m'annonça: "je crois que nous avons retrouvé votre mère!". Alors, elle m'a demandé si j'étais capable de demander à mon patron de me donner quelques jours de congés. Je dis que je lui demanderais et que je lui donnerais de mes nouvelles. J'ai communiqué avec mon grand patron, monsieur J.P. Pépin, qui était en charge. *"Je voudrais avoir une ou deux journées de congé car je crois avoir retrouvé ma mère".* Il m'a répondu: *"oui, je vous l'accorde et je vous souhaite bonne chance Jean-Guy".* Je fis immédiatement avertir le journal que mes deux jours étaient accordés. Le lendemain nous sommes repartis avec le journaliste et le photographe pour se diriger à l'Ancienne Lorette, à Québec. J'étais fou de joie et fatigué car la nuit même avant le départ, je n'avais pas dormi tellement. J'étais heureux de cette bonne nouvelle qui pour moi devenait une réalité. Une fois arrivé à l'Ancienne Lorette, j'entrai dans l'aérodrome, le grand corridor s'ouvrait devant moi et tout à coup je vis une femme seule qui se dirigeait vers moi. Une fois face à elle je tombai dans ses bras en disant: "Maman! Maman!". J'ai pleuré de joie et j'étais émotionné de la réalité. Je l'embrassais partout et je pleurais toujours: *"Maman, je suis l'homme le plus heureux du monde. Ce n'est pas possible que ma souffrance d'être un orphelin depuis de si longues années puissent s'éteindre aujourd'hui même"*. Je souffrais beaucoup d'avoir été délaissé tout ce nombre d'années sans prononcer le mot "Maman". J'étais toujours sur un choc. Moi-même qui rêvais de tomber dans les bras de ma propre mère. Moi, je ne voulais pas lâcher ma mère. Alors moi et elle, nous nous sommes dirigés vers le restaurant de l'aéroport tout en se regardant. Après avoir mangé, moi et les journalistes nous sommes arrêtés chez ma mère à l'Ancienne Lorette et nous sommes partis pour se diriger au camp d'été à Saint-Augustin, à Québec. Une fois dans le camp, ma mère me disait: *"tu es toujours chez toi et ça sera ton chez vous quand tu viendras à Québec"*. Alors ma mère commença à me décrire mon passé et pour quelle raison j'avais été délaissé d'elle, et elle s'est mise à pleurer à nouveau. Moi-même je pleurais. Je lui dis: *"maman nous sommes arrivés à une rencontre et je ne veux plus vous laisser"*. C'est alors que l'histoire commença.

Elle avait quitté son père et sa mère qui étaient cultivateurs dans l'Abitibi pour se diriger vers une nouvelle carrière à Chicoutimi. Elle avait 18 ans. Nous étions au début de la deuxième grande guerre mondiale et le temps était dur. Elle s'engagea dans une usine de coton et quelques temps après, elle eut un ami qui, d'après elle, s'appelait E.G. Son nom à elle était L.G. Tout allait bien entre les deux malgré que les temps étaient durs. Ils s'aimaient beaucoup et à la longue, vu que l'amour était plus fort, elle partit en famille. Elle se trouvait chez des amis qui étaient cultivateurs à Shawinigan. Quelques fois elle se plaignait de douleur car d'une journée à l'autre, elle devait mettre un enfant au monde, et qui était moi. La journée du 19 août 1939, tout allait bien. Le temps était beau, il faisait chaud et dans la journée elle sentit plus de douleurs qu'avant. Elle se trouvait à ce moment-là dans un champ de blé-d'inde. Elle s'écrasa par terre en se lamentant. *"Je vais avoir mon petit!"*. Elle fit appeler un taxi qui la transporta d'urgence à l'hôpital de Grand-Mère. Une fois arrivé là, elle accoucha. Elle demanda à voir son bébé et on lui dit que c'était un petit garçon. Elle le serra bien à ses côtés et après ça, ils m'ont mis dans une pouponnière. Trois jours après, elle demandait à la garde malade si elle pouvait revoir son enfant. Elle lui répondit que son père avait demandé à l'hôpital que l'enfant soit abandonné. Il avait signé les papiers d'abandon de l'enfant pour qu'il soit donné à l'État car son père ne voulait pas que sa famille sache qu'elle avait eu un enfant avant qu'elle se marie. Quand elle apprit cette nouvelle, que son propre père lui avait arraché son enfant de force, elle pleura de rage disant qu'elle voulait avoir son enfant. La garde lui a répondu que ce n'était pas à elle de décider vu qu'elle n'était pas majeure. Alors une fois rétablie, pour se venger de son père, elle disparut sans laisser de trace pour s'établir à Québec et oublier le grand malheur que son père avait commis envers sa fille. Une fois rétablie de ce terrible choc, elle rencontra un autre type et quelques années après, elle se mariait avec cet homme, O.B. qui se trouvait à être mon beau-père. Une nouvelle vie commençait pour elle. Ayant fait une fausse couche quelques temps après s'être marié,   elle eut le désir d'aller chercher deux enfants à la crèche. Elle adopta un petit garçon de 8 ans après que son mari eut consenti à adopter un enfant illégitime. Malgré que son mari n'aimait pas à s'occuper des enfants, il lui donnait une affection normale. Une année plus tard, elle adopta un orphelin pour permettre à l'enfant d'avoir une soeur. Mais pour mon beau-père le mot "affection", ça n'existait pas pour les deux enfants que ma mère avait adoptés. Il l'avait averti que si elle voulait adopter des enfants, elle serait obligée de s'en occuper seule car il disait avoir trop de choses à s'occuper. Il était un type en affaires.

Pour le moment, mon beau père ne m'a jamais accepté comme un membre de sa famille. Chaque fois que je vais visiter ma mère, je suis obligé soit d'aller chez mon oncle, ou dans un motel. J'aime bien mon oncle Georges car il m'a tou-

jours bien reçu lui, sa femme et ses enfants. Mais
une chose qui me fait mal, c'est que je ne me
sens pas chez nous quand je vais voir ma mère.
Ce n'est pas à cause d'elle, mais de mon beau-
père. Nous avons une belle maison, mais ce n'est
pas mon chez nous. Je souhaite dans les années
futures que mon beau-père puisse me recevoir
et que je me rende utile envers lui et ma mère.
Pourtant, depuis que j'ai retrouvé ma mère, je
n'ai jamais chercher à lui faire du trouble. Je n'ai
jamais vu mon beau-père en personne car il est
rare qu'il aille à la maison le jour. Pour lui, c'est
entre minuit et deux heures du matin qu'il ren-
tre. Moi je ne peux pas accepter ça des années
car je ne me sentirai jamais chez moi. C'est bien
normal pour une personne qui n'a jamais connu
son vrai foyer. Je voudrais bien que mon beau-
père, avant sa mort, puisse m'accepter dans son
foyer. Ma mère avait promis que je changerais
mon nom et moi-même, d'avoir accepté de
changer le nom de "Labrosse" pour le nom de
"B" si mon beau-père m'acceptait dans son
foyer. Ou je porterais le nom de ma mère dans le
temps qu'elle était fille; ce qui ferait "Jean-Guy
G." ou le nom de mon père propre (E.G.). Pour
mon père propre, je sais où il demeure. Je sais
qu'il est marié et qu'il a des enfants. Ma mère
m'avait toujours dit qu'il avait un caractère
doux comme son premier fils que lui-même n'a
jamais vu jusqu'à date. J'ai toujours souhaité le
voir. Je sais qu'il est en vie. Si ma mère ne m'a-
vait pas arrêté à temps, j'étais décidé à aller au
devant de lui pour voir si lui aussi pouvait comprendre son fils comme ma mère m'avait com-

pris. Je souhaite que mon nom propre soit définitivement choisi par mon beau-père et ma mère
car, pour mon demi-frère, j'ai demandé à ma mère qu'il soit considéré comme mon propre frère.
Mais pour ma soeur, je n'ai pas été chanceux car
un mois avant que je connaisse ma mère, elle est
morte d'une tragédie de la route. Mais j'espère
qu'elle m'a accepté, si elle me voit dans l'autre
monde. Je termine en demandant à tout être au
moins qui vit heureux d'encourager les gens qui
n'ont jamais connu de foyer maternel et de
partager leur amour avec "ces sans foyer" en
cherchant à réunir les deux classes en une seule.

II L'auteur face à l'opinion publique

Quant à moi, l'an 1964 fut une année triomphale après la publication de mon premier volume: les invitations affluèrent de toutes parts. Les postes de radio et de télévision mirent tout en branle pour m'avoir à l'une de leur émission.

Le poste CBFT, canal 2, fut le premier à me recevoir à l'émission **"Aujourd'hui"**. Après les questions d'usage sur la publication de mon premier volume, nous avons parlé du sujet que le public voulait entendre: le sort des orphelins adultes. Télé-Métropole m'envoya la même invitation, ne m'accordant que 5 à 10 minutes pour parler du même sujet qu'au poste précédent. L'invitation suivante fût du même poste à l'émission **"Face à Face"**. J'essayai d'informer le grand public sur des faits réels et véridiques; leur montrer dans quel état pitoyable nos orphelins étaient traités et quelle sorte d'éducation on leur apportait. Pour moi, c'était une autre victoire sur l'ignorance du public sur ce dernier sujet.

De plus en plus, le public appréciait mon travail d'information. La radio se mit de la partie. CKLM m'invita à discuter avec son public et à converser en direct avec ses auditeurs qui avaient hâte de discuter avec moi car plusieurs de ces mêmes auditeurs avaient des faits importants à rapporter su sujet de la situation des orphelins d'aujourd'hui, situation que des gens n'ont jamais imaginée.

L'émission de R. Lebel qui dura 1:30 h. fut un succès inespéré. Le public m'interrogea sérieusement sur le problème de nos orphelins du Québec. Ce succès me garantissait l'appui du public. Monsieur M. Verdon me félicita ainsi que tout le personnel de CKLM. Ils étaient heureux de pouvoir m'aider et de renseigner leur public par le truchement des ondes. Ils me trouvèrent courageux de faire éclater la vérité en défendant le sort des enfants de personne. Quant à moi, je restai en communication avec eux plus particulièrement avec l'un des annonceurs qui travaillait au département des nouvelles.

Je suis heureux de l'avoir connu car il était sincèrement intéressé à ces faits qui étaient devenus des réalités pour lui. Et il désirait connaître le problème plus profondément.

Le poste CJMS m'invita, non par sa propre initiative, mais à la demande de son public. Cependant, à ma grande surprise, le programme de l'émission avait été boycotté. M. Jarraud ne me laissait pas libre de ce que je désirais dire. Il désirait que je ne fasse que de la publicité sur mon livre, et que je réponde aux questions qu'il veuille bien me poser. Donc, en résumé, je n'ai pu dialoguer avec le public. Pendant cette émission qui se devait d'être d'une durée de 2 heures, je n'ai pu m'exprimer que quelques minutes. S'excusant de n'avoir pu me laisser la parole, il promit avec le verbe qu'on lui connait de me laisser, à sa prochaine émission, dialoguer et répondre aux questions de son public. Mais cette promesse resta vaine et elle ne fut jamais réalisée. Il m'avait promis à moi et à ses auditeurs de faire une enquête publique. Nous fûmes heureux de constater qu'enfin la vérité éclaterait au grand jour. Après un départ fracassant, l'enquête allait bon train puis, plus rien! Pourquoi? Nul ne saurait le dire. Tout ce que je sais, trois ans après, c'est que je dois continuer à me battre contre l'ignorance et l'inconscience du public sur un sujet qui, je le répète, est malheureux. Je l'affirme, il est "dramatique"!

Plus tard, on m'invita à une émission télédiffusée. C'était le poste CFLV, de VALLEY-FIELD, qui m'interviewait. D'abord, une dame, E. BELHUMEUR, que je jugeai très charmante et d'une compréhension spontanée envers tous ses invités. Je n'oublierai jamais son accueil pour moi.

Puis un autre jour, M. S. BÉLAIR m'interrogeait à ce même poste de VALLEYFIELD. Contre lui je n'ai rien à dire, rien à lui reprocher.

Encore là, le public m'approuva, et me supplia de ne pas le quitter brusquement, il avait encore besoin de moi, de mes renseignements. C'est alors qu'il m'a fallu retarder mon voyage pour MONTRÉAL car les gens me demandaient: *"Venez donc chez moi, je voudrais vous présenter à mes parents, et causer un peu sur votre vie".*

Je ne pouvais refuser ces invitations si chaleureuses et je garderai toujours un très bon souvenir de cette ville de VALLEYFIELD, de ces gens si sympathiques. Je vous le dis, chers bienfaiteurs, je ne vous oublierai jamais.

On plaida pour moi et j'obtins l'honneur de donner une conférence, dans une vaste salle devant un nombreux public de cette ville. Cette ville est maintenant pour moi le paradis de l'orphelin.

J'ai reçu aussi d'autres invitations pour paraître dans des journaux de la RIVE-SUD et de VALLEYFIELD: ST. CLARENCE-SUN et GAZETTE de VALLEYFIELD. Les journaux rappelaient la lutte acharnée que je menais pour tous ces malheureux qui n'avaient pas demandé à naître et qui, étaient les victimes d'une société malsaine.

Un représentant de la brasserie MOLSON m'invita aussi, Monsieur J. VIAU de VALLEYFIELD. Après présentation de son personnel, nous avons visité sa brasserie et avons causé de tout, dont le problème des orphelins. *"L'être devrait-il envisager une solution capable d'améliorer l'orphelin adulte? Est-il possible de lui fournir une garantie de meilleure sécurité et d'une existence normale dans un avenir sain?"*

Puis, je suis parti pour MONTRÉAL où l'on me demandait. De nouveau, invitations par les journaux, invitations par le public.

Et moi, je continuais à travailler, 9 heures pour mon travail, et je consacrais pour mon public 12 heures. Ça durait depuis quinze jours et un certain après-midi, je perdis connaissance à la cafétéria de la crèche D'YOUVILLE. J'étais à bout de force mais je ne devais pas laisser là ce public qui me réclamait.

Je pensai: *"Si je continue ainsi, peut-être serait-ce la mort et alors, ma lutte sera inutile".* Une charitable famille de POINTE-CLAIRE me proposa l'hospitalité pour un repos bien mérité. Mais je refusai l'argent qu'ils me tendaient car je ne voulais pas abuser de leur charité. Alors un prêtre paya pension pour moi à cette bonne famille de la rue HARTFORD à POINTE-CLAIRE.

Je suivais de près le procès de l'orphelin du Québec. Mais je constatais qu'une grande part d'ignorance continuait d'exister.

À qui la faute? À qui doit-on reprocher cette ignorance déplorable de l'orphelin adulte? À qui sinon à l'État qui devrait veiller aux intérêts de l'orphelin. Un jour du mois d'avril, les "Éditions du Jour'' me téléphonnèrent pour me demander de me rendre au Palais du Commerce afin de commenter une publicité, car à chaque année, ils consacraient à "la semaine du livre" beaucoup de temps.

Je me suis rendu à cette invitation. Il y avait une immence foule qui remplissait à déborder le kiosque prévu pour ça. J'ai eu l'honneur de rencontrer Jean-Charles Pagé qui a écrit plusieurs livres qui intéressent vivement le public. J'étais heureux de faire sa connaissance car plusieurs parlaient de lui et du livre qu'il avait publié et qui s'intitulait **"Le fou crie au secours"**. Il me félicita puis m'encouragea à continuer ce que j'avais entrepris. Et le public nous interrogea sans cesse. Alors moi et Jean-Charles, nous avons décidé de faire une conférence. Encore là, notre kiosque était rempli dans tous les sens. Il y avait du monde partout. Quand ils ont fermé, ils ont fait intervenir un policier parce que le monde refusait de quitter cet endroit pour continuer encore à discuter avec nous.

La semaine passa et à chaque jour c'était la même chose. Nous étions fatigués car nous donnions tout ce qui était en notre pouvoir à ce public qui s'intéressait et nous réclamait la vérité.

Alors, la semaine du livre finie, je m'en suis retourné à Pointe-Claire. Au mois de mai, un groupe d'hommes d'affaires de ville St-Laurent m'invita pour que je donne une conférence à un souper-causerie. Mais il m'était interdit de parler plus de vingt minutes.

Parce que je n'avais pas beaucoup de temps, je ne devais pas m'attarder sur les mêmes questions qu'eux me soumettaient. Je leur fis remarquer qu'il valait mieux penser à l'avenir de l'orphelin.

Mais je ne crois pas que cette conférence-là les ait vraiment touchés. Je me suis rendu compte, après, que le destin de nos orphelins adultes ne les préoccupait pas tellement. Alors, je m'en retournai à Pointe-Claire.

J'étais toujours bien malade. Mais je continuai à suivre toutes les émissions qui concernaient l'information du public. Ces gens ont été témoins des tortures que la plupart des orphelins ont subis à cause d'hommes irresponsables. Pour ces derniers, les orphelins étaient des esclaves. Ils étaient libres de les mener à leurs manières. Ainsi, les orphelins sont condamnés à l'esclavage.

Par la suite, j'ai reçu une invitation du poste CHLV à Valleyfield, pour rencontrer un nouveau public qui avait hâte de discuter avec moi et me soumettre eux aussi certains témoignages personnels sur le sort des orphelins.

Durant la tournée à Valleyfield, j'ai eu trois interviews au poste CFLV. La première personne qui m'a interviewé était madame H. Belhumeur, Le sujet était le sort des orphelins et le nom de l'émission était "l'heure du thé". Les autres interviews étaient faits par Serge Bélair qui était très sympathique envers moi dans toutes les discussions que nous avons eues. Il m'approuvait sur tous les points concernant le sort de ces malheureux. Une fois la radio finie, ce fut le tour des journalistes de deux journaux: "la Gazette de Valleyfield" et "le St-Clarence Sun". Le journaliste avec qui j'ai eu le plus d'interviews est monsieur J.G. Goujon, qui demeurait dans St-Esprit de Valleyfield. Je vais vous citer un interview pour prouver que notre société oublie vite ces malheureux. J.G. Goujon disait: *"Lorsqu'on regarde ce jeune homme, on ne peut deviner son fragile état de santé ni le drame qu'il a vécu depuis 24 ans. Depuis sa sortie de cet enfer, il y a de cela onze mois, il consacre tout son temps à venir en aide à ceux de ses compagnons qui sont encore prisonniers de ce milieu infernal. Dans son volume "Ma chienne de vie", il relate en langage phonétique toutes les phases de sa vie de misère, depuis sa naissance. Qui penserait qu'en 1964, pareil traitement sont infligés aux enfants de personne? Il suffit de mentionner quelques surnoms"*.

Je dois faire une remarque sur les surnoms qu'il prétend être faux. Mais avec sincérité, tous les noms qui ont été divulgués dans **"Ma chienne de vie"** sont vrais et non pas forgés. Et dans ce deuxième volume, tous les noms que vous voyez sont encore vrais. Je lutte pour la vérité et je continuerai à lutter pour la vérité afin d'indiquer la situation de l'esclavage des orphelins adultes. Certains êtres continuent à torturer cette classe soit en les exploitant ou en les considérant comme les esclaves de leur propre race.

Je quittai Valleyfield pour revenir à Montréal. Cette fois-ci, c'est C. Poirier qui m'invita à dialoguer concernant le sort des orphelins adultes. La première question qu'il me posa, c'est que 65% des orphelins adultes étaient victimes des prisons fédérales ou provinciales. Alors j'étais étonné de voir un si grand nombre d'orphelins adultes qui étaient encore obligés d'aller vivre dans des institutions. Pour moi, c'était révoltant de voir ce grand nombre d'orphelins adultes encore déroutés dans notre société d'aujourd'hui. Comment se fait-il que nos gouvernements ne soient pas au courant de ce grand pourcentage? S'ils sont au courant, pourquoi camouflent-t-ils ces choses-là à la société? Pourquoi nos gouvernements en font des déséquilibrés de la société? Nos gouvernements sont responsables de leur sort ainsi que la société qui est le second responsable de la déviation et du déséquilibre de ces malheureux. Pourquoi continuer à torturer ces malheureux et les considérer en robots humains sans défense et ignorants des lois qui pourraient les clouter le restant de leur jour entre quatre murs? On les laisse crever dans leur misérable sort dont ils ne sont pas responsables. Mais monsieur Poirier m'avait offert d'aller discuter avec ces malheureux. Mais j'ai refusé car je suis trop sensible à leur sort et je connais leurs problèmes à fond. C'est pour cela que j'ai décidé de rendre notre société responsable de leur sort car il n'y a pas eu d'amélioration envers eux. Si nos orphelins se retournent de plus en plus vers notre société d'aujourd'hui, c'est qu'ils ont perdu espoir en notre monde moderne. Ils ont décidé de s'éteindre ou de se révolter de plus en plus envers notre monde moderne qui est responsable du milieu d'où je suis. Je souhaite qu'il y ait un espoir pour que notre monde moderne puisse égaliser cette classe dans notre société et que notre gouvernement puisse mieux approfondir chacun des cas de ces malheureux afin de leur donner une place dans notre société moderne.

Je suis reparti pour Québec. Nous étions en 1965, au mois de juillet. Le temps était beau et je décidai d'aller voir un nommé Jeffery à l'hôpital St-Michel-Archange. Mais les autorités civiles et même le curé de cette ville me traitaient de **"révolté des institutions"**. Moi, je leur ai dit que si j'avais été bien traité, je n'aurais pas décrit ces vérités. Pour eux, c'était des choses monstrueuses et ils m'ont pris de force pour me rentrer à l'intérieur de cette institution. Ils m'ont dit que s'ils voulaient, ils pouvaient m'incarcérer à nouveau. Ça, c'est le premier des policiers en charge de cet hôpital qui m'a dit ces choses-là. Ses confrères disaient de même car ils étaient rangés du même côté que leur supérieur. Moi, je leur ai dit que le public me suivait et que si jamais ils apprenaient que j'étais incarcéré sans raison valable, ils verraient à ce que je sorte de là. Je leur ai dit que tous les moyens sont bons pour alerter le public pour qu'il vienne me sortir de là. Alors ils m'ont ordonné de quitter les lieux ou bien ils me feraient arrêter par la police municipale. On me mettrait une charge de vagabondage et aussi pour avoir troublé la paix. Ils m'ont escorté jusqu'à la sortie de l'hôpital pour retomber dans la municipalité de St-Pascal. Je suis reparti au centre d'achat pour aller dîner. Le centre était face à cet hôpital.

En dînant, j'avais remarqué que la plupart des gardiens et garde-malades allaient manger à l'extérieur. J'ai tout de suite compris qu'ils ne mangeaient pas à leur goût ici. J'avais discuté avec une garde-malade qui travaillait là et elle avait approuvé mon volume mais elle m'a surtout dit qu'il fallait s'attendre aux critiques. Même les gens de l'extérieur étaient étonnés des choses qui se passaient dans ce centre psychiatrique. Mais la plupart de la population de cette ville avait de la difficulté à digérer ces critiques. Je les comprends car elle ne faisait pas attention au réel danger qui pouvait surgir contre n'importe quel citoyen qui vivait dans cette ville ou dans la banlieue. Mais quand ils étaient victimes de ce centre, il était trop tard et une fois incarcéré, les personnes qui avaient été avertis des dangers qu'ils pouvaient courir une fois admis dans cette institution psychiatrique croyait à ces vérités. Mais il était trop tard pour faire sentir leurs mauvais traitements à la société qui était au courant mais qui n'était pas intéressée à ces choses-là car le domaine psychiatrique, pour eux, était une chose dont ils ne voulaient pas entendre parler. Moi-même, je voyais

ce monde qui vivait dans une peur que je ne
peux pas dire. J'avais discuté de ces choses avec
quelques passants et ces gens-là me répondaient
qu'ils ne connaissaient rien dans la psychiatrie
et qu'il serait mieux pour nous de ne pas en parler car nous vivions loin de ces époques-là et que
pour eux, c'était une classe indépendante de
nous. Il valait mieux être ignorant de ce sujet.
Les seules personnes qui pouvaient nous renseigner dans ce domaine étaient ceux qui travaillaient dans ce centre. Moi je trouvais ça étonnant
d'avoir avec la population un dialogue qui ne
pouvait pas m'orienter. Alors, une fois terminés
ces témoignages de quelques passants, j'ai décidé
malgré mon interdiction par les autorités de cette
ville, d'aller voir Jeffery qui était toujours déte-
nu dans cette institution. Mais ils l'avaient transféré à Dufraud car il était écoeuré de vivre à
St-Michel Archange et malgré qu'il avait été
transféré, la misère continuait pour lui. À
Dufraud, il était obligé de travailler sans salaire
du matin au soir sous peine d'être mis dans une
cellule. Quand il se levait, il avait toujours comme déjeûner du gruau et des beans à l'eau, le
midi. C'était de la fricassée le soir. Après sa
journée de travail, il était enfermé jusqu'au lendemain car à tous les jours, il lavait les planchers
et il faisait du jardinage sous la surveillance des
gardiens de cet hôpital. Le type n'avait jamais de
récompense pour le travail qu'il accomplissait.
Quelques fois, un samaritain lui donnait un
paquet de cigarettes car les cigarettes étaient
rares et il fallait avoir de l'argent pour se payer
ce luxe. J'étais obligé de le quitter car il com-

mençait à se faire tard. Je suis parti avec ma moto (car tous les déplacements que je faisais au
Québec pour rencontrer les gens qui voulaient
me rencontrer je les faisais avec ma moto. Ça fait
plusieurs années que je roule en moto car c'est
un bon moyen de déplacement pour moi et c'est
économique malgré que c'est une chose dange-
reuse).

Une fois terminé à Québec, je suis revenu à
Montréal pour prendre quelques jours de repos
et préparer le nouveau programme pour pouvoir
faire ma tournée au Québec. Mais comme j'avais
mentionné, certains comtés ne m'ont pas lancé
d'autres invitations pour cause que mon volume
était un scandale et une chose déprimante ou ré-
voltante et que l'auteur était irresponsable de ce
scandale et des interviews. Je décidai de me rendre dans d'autres groupements de la société car
j'ai toujours dit que notre société moderne est
bâtie en groupes et que pour moi, si je comparais
notre groupe terrestre, je pouvais dire que nous
sommes des millions de groupes avec une mentalité différente et c'est avec ces millions de groupes de mentalité différente que le monde conti-
nuera à connaître la famine, la misère, et même
l'esclavage. La journée où ces millions de groupes se réuniront en un seul groupe, nous ne
connaîtrons plus cette peste de misère car, pour
moi, nous sommes composés de cellules humai-
nes qui cherchent à se dévorer les unes et les
autres et non pas à se comprendre. Les raisons
de cette méfiance sont les criminels, les voleurs,
la drogue et pour terminer la boisson pour ceux

qui n'en n'ont pas le contrôle. La plupart de
nos différents se règlent soit par un soulagement
par la boisson ou par la bagarre sans chercher un
terrain d'entente par le dialogue. Mais pourquoi tous ces troubles et cette tension? Pourquoi
ne pas chercher à améliorer notre sort? Moi-
même, j'ai discuté avec toutes les classes de notre société et nous sommes loin d'en venir à une
paix durable.

Un autre fait qui met une grande méfiance est
notre jeunesse qui est trop délaissée par leurs
parents avec une mauvaise éducation. Les plus
grandes critiques de notre entourage viennent de
la jeunesse délinquante qui elle, cherche à voler
soit pour vendre le "stock" ou pour acheter de
la drogue ou pour faire fortune avec certaines
victimes de la malchance. Si quelqu'un me demandait de quel âge je me méfie le plus, je répondrais: ceux qui ont entre quatorze et trente
ans. C'est là que se rencontre une jeunesse variée
et se trouve un grand pourcentage de voleurs de
commerce et de drogués car ceux qui sont vraiment pris par cette maladie ne reconnaissent
plus leurs vrais amis. Ce qui les intéressent le
plus, c'est de trouver une source de revenus qui
pourraient les maintenir dans la position ef-
froyable qui les torturent à journée longue; je
veux dire ceux qui se piquent. C'est de ceux-là
que je me méfie le plus mais j'en connais peu qui
prennent de la drogue avec qui je suis en communication car ceux avec qui je parle ont encore
leur conscience et tant qu'ils seront conscients et
qu'ils seront responsables de leurs actes, ça me

dérangera pas trop de converser avec eux. Mais pour ceux qui se croient au paradis à la journée longue, je me méfie d'eux car pour moi ce sont les plus dangereux car ils n'ont pas leur propre sens des responsabilités. Ils pourraient tout faire pour détruire leur entourage afin de survivre dans la position où ils signent eux-mêmes leur arrêt de mort, tôt ou tard.

Je vais vous citer une preuve qui m'a beaucoup affecté depuis que je vis dans notre société moderne. Ça s'est passé en 1969, nous étions le 30 août. Je suis parti vers Charlemagne avec un de mes amis. J'avais aidé un jeune homme de 23 ans qui était sans travail. Il m'avait dit qu'il venait de Rimouski, dans le bas du fleuve, et qu'il était venu à Montréal pour se chercher du travail. Je lui ai fait confiance et je l'ai hébergé chez moi. J'admets que j'ai eu quelques relations sexuelles, mais pas régulièrement. Mais mon but, c'était pas cette chose-là. C'était de lui procurer du travail car intimement, je n'étais pas intéressé à le garder avec moi. Il avait un bon coeur mais était un type sensible. Deux semaines après, il se trouvait un travail dans un restaurant sur la rue Beaubien, coin Christophe-Colomb. Mais il avait une semaine en arrière. De temps en temps, il amenait d'autres homosexuels, mais moi je lui disais de ne pas amener personne chez moi car un jour, il amènerait quelqu'un qui n'aurait pas pitié de nous. J'ai fait une petite enquête et j'ai pu déterminer que le type que je dépannais à mes frais amenait des types qui se tenaient à la taverne "L'Altesse" ou "le Plateau" et que

40% de ces gens vivaient soit par le commerce ou en cherchant à dévaliser les bons samaritains. Même si je n'ai jamais marché commercialement par le cul, je me suis aperçu qu'il allait de l'un à l'autre mais qu'il ne connaissait pas les réels dangers car le monsieur de la taverne "l'Altesse" était un type sans merci et ce n'était pas un type qui est venu au monde au Québec. Sa province natale était la Saskatchewan. Il est venu deux fois chez moi et moi-même, je n'aimais pas ce type-là. Il me disait qu'il était un type sans merci pour ses semblables. Moi j'ai demandé à monsieur Jacques (c'est lui que j'ai aidé) de ne pas inviter personne durant mon absence. Il m'avait répondu que je pouvais me fier à lui. Alors je suis parti à Charlemagne avec un de mes amis mais j'avais l'intuition qu'il se passerait quelque chose durant mon absence. Alors, pour m'enlever cette méfiance, pour avoir la conscience tranquille, je téléphonai chez moi pour me rassurer. Je demandai à Jacques si tout allait bien. Il me répondit que oui. Alors, je fis route vers Trois-Rivières avec mon ami qui, lui, travaillait comme gardien au Mont Providence. Je lui ai dit que nous allions passer la fin de semaine chez ma cousine avec ma mère et mon demi-frère. Alors une fois arrivés à Trois-Rivières, je présentai mon ami à ma mère. Il était onze heures du soir. Nous avions fait ce trajet en moto car j'aime beaucoup la moto. On a bavardé quelques minutes et on s'est couché. Le lendemain, lui, il est allé voir des parents qui demeuraient à Trois-Rivières tandis que moi, je suis parti de la rue Provencher pour voir pour la première fois de ma vie ma place natale qui était Grand-Mère. Je voyais Shawinigan pour la première fois aussi et j'ai trouvé le paysage mieux que ma place natale qui était Grand-Mère. Nous avons passé la journée à visiter ce paysage, moi et mon demi-frère. Le samedi soir, je suis revenu à Trois-Rivières sur la rue Provencher pour la nuit. Le lendemain, le temps était pluvieux et maussade, il pleuvait et le temps était plus froid. Mais vu que ma mère avait une auto, nous sommes sortis, moi, ma mère, mon demi-frère et ma cousine pour aller voir du rodéo à St-Tite. Cette fête Western était fantastique. Tout était merveilleux. On se promenait soit en calèche ou en voiture tirée par deux chevaux. Il n'y avait pas d'automobiles qui circulaient tout le temps que ces activités duraient. Le monde était très accueillant. Il venait du monde de toutes les directions du Québec pour assister à cette grande fête Western. La ville était complètement Western. J'aimais cette atmosphère. Il y avait du rodéo et tout ce que vous voyez dans un film Western, vous le voyiez devant vous. Cette fête durait quinze jours selon les autorités de la municipalité de cet endroit. Mais malgré que j'aimais ça, il fallait retourner chez soi. Une fois de retour à Trois-Rivières, je me suis reposé puis je devais quitter mon milieu pour regagner Montréal. Le lendemain, il faisait mauvais mais il fallait partir quand même. Dans l'après-midi du lundi il avait cessé de pleuvoir mais le temps se maintenait. Une heure après être partis, la pluie commençait à tomber à nouveau. Il était cinq heures trente de l'après-midi. Nous étions sur la route 2. Mais quand nous avons vu qu'il y avait un orage et qu'il pleuvait à perte de vue, nous avons été obligés d'arrêter chez un cultivateur sur le bord de la route 2, entre Louiseville et Berthier. Les gens nous ont bien reçus et ils nous ont donné du café car ils se sont aperçus que nous avions froid et que nous étions trempés jusqu'aux os. Dehors, il tonnait et il "éclairait". La pluie tombait en abondance et quand l'orage fut terminé, il était six heures cinquante du soir. Il commençait à faire noir et le temps était plus froid mais il fallait prendre la route. Nous avons remercié ces gens-là de leur hospitalité. Quand nous sommes arrivés à Charlemagne, il était dix heures du soir. J'ai arrêté chez mon copain J.G. Juneault pour bavarder avec sa mère et son père. C'était du monde très gentil. Je me sentais vraiment chez moi. Le temps passa et il se trouvait minuit et demie lorsque je repris la route pour chez moi. Je suis arrivé à une heure du matin à ma demeure. J'ai débarré ma porte et tout mon appartement était à l'envers. Il y avait des oeufs écrasés. Le pain était déchiqueté et répandu avec les oeufs sur le plancher. Mon stéréo RCA Victor qui m'avait coûté $500. mon enregistreuse **Dual** de fabrication allemande qui m'avait coûté $430, $1,700 en disques, $800 en linges, $465 en outils, un amplificateur de $300 avec deux micros qui m'avaient coûtés $100 chacun, un "testeur" pour réparer mes appareils qui m'avait coûté $150, tout ça n'y était plus. Là, sur le choc je téléphoné à J.G. . . pour lui annoncer cette mauvaise nouvelle. Il me répondit que je rêvais. Moi, j'ai répondu en pleurant que je ne rêvais pas. Alors il m'a répondu: *"ne pleure pas, je monte tout de suite chez toi"*. Je suis reparti pour aller m'asseoir dans les escaliers et je pleurais toujours me demandant pourquoi ils m'avaient volé, pourquoi moi qui, depuis que je suis sorti des communautés, cherche à faire du bien, je sois ainsi moralement ou matériellement désabusé. Durant que J.G. . . se dirigeait chez moi, je téléphonai à ma propre mère pour lui expliquer le désastre qui venait d'arriver chez moi. Ma mère me croyait de peine et de misère. Je lui ai répondu: *"maman, c'est la vérité et je suis déprimé de ce désastre. J'avais travaillé des années pour me payer ce luxe et je suis à zéro. Tout m'a été pris sauf mon frigidaire qu'ils n'ont pas pu amener"*. J'ai dit à ma maman que je voulais lâcher mon travail pour quitter ce pays de malheur. Je ne pouvais plus sentir Montréal. J'étais écoeuré de vivre dans un enfer avec un monde sans scrupules. Ma maman m'a demandé de me résigner et de me calmer. Alors elle m'a demandé si j'avais appelé la police. Je lui ai répondu que je n'avais pas le courage et que je me sentais épuisé de cette misère malchanceuse. Alors elle me demanda de prendre mon courage à deux mains et je lui ai répondu que j'allais faire de mon mieux. Je quittai le téléphone tout en me disant: *"je suis donc malheureux de cette malchance"*. Une minute après, le téléphone se mit à sonner. Je pris l'appareil avec un très bas moral. C'était celui que j'avais aidé, Jacques, qui me dit: *"Jean-Guy, tu doit-être découragé de ce que tu as vu en ouvrant la porte"*. Je lui ai répondu:

"Mets-toi à ma place. Qu'est-ce que tu ferais à ma place?". Alors il m'a demandé si j'avais appelé la police. Je lui ai répondu que non. Alors il m'a demandé si j'étais pour les appeler. Je lui ai dit que oui car c'est normal, j'étais dévalisé. Alors il est normal que la loi s'en occupe. Il m'a demandé si j'étais pour le dénoncer. Je lui ai répondu que s'il n'était pas coupable, vu qu'il était témoin et maintenu sous menaces par ces complices, il faudrait qu'il prouve son innocence. Alors il m'a répondu qu'il montait chez moi pour me rejoindre. Alors je fis venir la police. Il était une heure trente du matin. La police prit le rapport du vol et une demi-heure après, deux détectives de l'escouade des vols vinrent sonner chez moi pour commencer l'enquête. Ils m'ont demandé où j'étais durant ce long congé de la fête du travail. Je leur ai répondu que j'étais parti avec mon ami chez ma cousine à Trois-Rivières. Alors je leur ai dit: *"si vous voulez en connaître plus long, veuillez interroger monsieur Jacques qui a été témoin de cet affreux vol"*. Alors les détectives ont amené le témoin-clé pour commencer ce long interrogatoire. Une fois les polices reparties, J.G. et moi, nous sommes restés pour le restant de la nuit.

Le lendemain, J.G. me quitta pour retourner chez lui. Mais pour moi, tout ce qui s'est passé n'était pas une chose que je pouvais oublier. Je n'étais pas assuré contre le vol. Ma compagnie d'assurance ne voulait pas m'assurer contre le vol car où je demeurais, c'était une maison de chambres et la plupart des compagnies assuraient contre le feu mais pas contre le vol.

Plus tard, j'ai reçu un avis de me présenter en
Cour car le procès avait débuté à la Cour municipale et il n'y avait pas grand chose d'important.
Quelques temps après, les assises commençaient à la cour provinciale. Nous étions dans
l'automne 1969. Là, je me représentai, toujours
avec un avis de la Cour. Les détectives soumirent
les aveux que Jacques leur avait faits au poste 16.
Le juge, après avoir entendu ces témoignages, fit
remettre le procès au mois de mars 1970. Je
reçu un autre avis pour me présenter à la Cour.
Mais sur mon avis, il y avait eu une erreur de
date. Moi, je travaillais le soir et je demeurais
sur la rue St-Denis. À douze heures trente juste,
la sonnette me réveilla. J'étais seul sur le plancher. Je me suis habillé pour aller voir ce qui se
passait là. Je suis allé voir à la porte et c'était
deux détectives qui venaient me chercher avec
un mandat du juge. Je n'avais pas le choix, je les
ai suivis. Nous sommes repartis dans la direction
nord car les détectives avaient un mandat pour
Jacques. Nous sommes partis chez une de ces
soeurs pour voir si monsieur Jacques y était.
Mais cette journée là, il ne s'y trouvait pas. Nous
sommes repartis vers le vieux palais de justice,
sur la rue Notre-Dame. Une fois rendus, ils
m'ont remis à deux policiers provinciaux. Alors
un des deux sortit les menottes pour me les
passer aux poignets. Je leur ai répondu que je
n'étais pas un voleur ni un criminel. Un des deux
m'a répondu que par la loi, ils étaient obligés de
mettre les menottes à toute personne arrêtée.
Dans la cellule, ils m'ont enlevé les menottes
pour me placer parmi d'autres personnes qui

avaient été arrêtées. Il y en avait pour différentes causes mais quand je leur ai dit que j'étais le plaignant, ils m'ont répondu que ça prenait des imbéciles pour mettre des menottes à des gens honnêtes et qui n'ont pas de dossier. Vers deux heures et demie, la police me sortit à nouveau et me remit encore les menottes. Je me suis dirigé vers la cour et dix minutes après, le juge entra et l'audience commença. La première des choses que le juge dit: *"c'est vous le coupable du vol?"*. Moi, tout ému je. lui ai répondu que non. C'est alors que le détective qui se trouvait dans la salle d'audience lui a répondu que ce n'était pas moi qui était le voleur mias que j'étais plaignant.

— *Alors, pourquoi mettre des menottes à un citoyen honnête au lieu du voleur? Où se trouve-t-il votre voleur?*

— *Nous sommes arrêtés chez lui et il n'était pas là.*

— *Alors comment voulez vous faire un procès sans voleur? Où sont tous les types qui sont complices? Je suis obligé de remettre l'audience une fois de plus.*

Le nom de A. B. était souvent mentionné mais toujours invisible devant la Cour.

Je repris le chemin de la liberté et tout resta mort jusqu'au mois d'automne 1971. Tous les coupables étaient en liberté. Moi-même, j'ai vu monsieur A.B. sur la rue St-Denis, en face du carré St-Louis, avec les cheveux teints pour ne pas se faire reconnaître. Un autre soir, face à la taverne "l'Altesse" où il ne m'a pas reconnu.

Trois jours après le vol, en 1969, j'avais envoyé une lettre qui avait été adressée à monsieur A.B. pour un "longue distance" qu'il avait fait à sa femme (qui demeurait à Calgary). Mais ce monsieur se permettait de sortir avec d'autres femmes. Le Bell Téléphone voulait que je paie ce "longue distance". Je leur ai dit que j'avais été dévalisé et qu'un des voleurs avait utilisé mon téléphone. Alors, je leur ai donné le nom du détective pour qu'ils se renseignent et je n'ai plus eu écho de ce côté là de même que pour la lettre qui prouvait que A.B. était bien un des voleurs qui avait participé à ce vol. Les aveux de Jacques, le témoin-clé, avait bien prouvé que A.B. était l'organisateur du vol.

Je me fis rappelé de nouveau à la Cour mais il fallu reprendre à nouveau tous ces témoignages car le juge qui avait cette cause devant lui était mort. Alors, c'est un autre juge qui prit cette cause en mains. Il était bien de bonne humeur quand le procès commença. Mais vers la fin, ce n'était plus le même. Les témoignages devenaient de plus en plus longs. Le juge demanda qui s'appelait "A.B.". Le détective lui répondit que s'il ne l'avait pas arrêté, c'est parce qu'il n'avait pas assez de preuve contre lui. Le juge lui a répondu que son nom était souvent prononcé devant l'audience, alors il serait bon qu'on

le voit pour pouvoir en savoir plus long dans
cette affaire. Quand à Jacques, le juge le mit aux
arrêts malgré qu'il avait un emploi stable. Mais
il ne fut pas coffré pendant longtemps car il
a été libéré sur parole avant que l'année 1971
soit terminée. Quand j'ai appris cette chose-là, ça
m'a révolté car un des locataires qui avait été
témoin de ce vol m'avait admis que ça avait pris
deux jours avant de sortir mon "stock" de ma
chambre. Il m'avait dit que le nègre l'avait averti
de laisser la porte ouverte et de ne pas sortir de
la maison car il l'avait à l'oeil. Il tenait une bouteille vide dans sa main. Mais vu que le locataire
de l'appartement 3 était déjà une poule mouil-
lée, il s'est soumis aux ordres du voleur. Pourtant il pesait 180 livres ou plus. Moi-même, ça
faisait quatre ans que je le connaissais et nous
avions toujours été deux bons amis. Mais pour
cette fois-là où il fut témoin de cet affreux vol,
il n'a pu rien faire pour son copain.

Quant au procès, tout est devenu classé. Les
voleurs en liberté, le citoyen a tout perdu et
concernant les détectives du poste seize, je les ai
remerciés malgré qu'ils n'ont pas pu pousser
l'enquête à fond car s'ils avaient poussé plus
loin, certainement auraient-ils pu condamner
ces voleurs à une couple d'années de prison.
L'homme invisible, le principal organisateur du
vol, monsieur A.B., il n'a pas été témoin une seule fois à la Cour malgré que son nom ait été
mentionné souvent. C'est ainsi que j'ai perdu
confiance envers la justice et tant qu'il ne se
produira pas du nouveau, je m'en méfierai.

Une fois déménagé, j'ai reconstitué peu à peu ce que j'avais perdu. Mais bien des choses de valeur que j'avais eues ne purent être remplacées car c'était des choses rares. Depuis trois années, tout va bien et je voyage en moto. J'ai parcouru le trois-quart du Canada et j'aime bien voyager tout en restant ami avec mes copains d'enfance et en me faisant de nouveaux copains. À chaque année, je donne $100, réparti en $50, pour celui qui a donné le meilleur rendement. Des pères de famille ont eu des $50. Soit qu'ils me donnaièent de leurs nouvelles ou qu'ils cherchaient à rendre service car pour être bénéficiaire de ces $50, je ne demande pas l'impossible. Je prends plus souvent des gens mariés que des célibataires. Soit qu'ils ont eu une mauvaise année ou qu'ils ont un salaire de crève-faim. Je donne deux $50 par année et c'est ma septième année que je fais ça. J'espère que je ne suis pas le seul à faire ça et que d'autres font comme moi.

III La société croit pouvoir résoudre ses problèmes par la boisson ou la drogue

Ces problèmes me préoccupent énormément et je vais vous prouver que la boisson nuit à nos familles canadiennes.

J'ai fait une tournée dans plusieurs clubs et tavernes dans la métropole. J'admets que c'est un plaisir pour plusieurs canadiens que de fréquenter ces endroits sans se soucier des troubles qui peuvent survenir de retour à la maison.

J'admets qu'une quantité de gens se contrôlent sans nuire à leur réputation.

Mais plusieurs ne se contrôlent pas. La plupart sont des gens mariés ou "accotés" et qui me préoccupent beaucoup. Ils ont pourtant une femme et des enfants à faire vivre. Quand ils étaient célibataires, ils promettaient d'être fidèles envers leur femme. Cependant une fois mariés, tout change. C'est une nouvelle vie qui commence avec une pauvre femme qui, la plupart du temps, attend un enfant. Quand son mari est à jeun, la femme peut avoir un meilleur contrôle sur lui: *"Chéri, nous nous sommes mariés pour pas vi-*

vre dans la misère. Je veux que nous soyons un bon foyer" et son mari se raisonne et se soumet à sa femme. Les mois passent et les années passent et la femme se retrouve avec plusieurs enfants. Mais pour monsieur, c'est la boisson avant sa femme. Elle, elle doit le supporter malgré cette dure épreuve. *"Mon mari ne compte plus".* Ce sont les enfants qui en souffrent. Chaque fois qu'il revient à la maison, madame est obligée de se soumettre à ses tristes aventures qu'elle ne peut toujours supporter. Mais si elle refuse de se soumettre aux demandes de son mari, le monsieur prend les grands moyens pour y remédier. La plupart du temps, il voulait des relations sexuelles et il se foutait qu'elle ait un enfant de plus. *"Ma femme, c'est fait pour ça et il faut en profiter".* Ainsi, les enfants finissent par être abandonnés par leur mère ou leur père, et ces enfants deviennent des malheureux car tout enfant qui n'appartient pas à ses propres parents souffre.

D'autres prennent la nature humaine pour un commerce. La plupart des personnes qui sont "accotées" sont des gens qui ont été mariés ou d'autres, qui n'aiment pas vivre des années avec la même femme. Alors on prend moyen de "s'accoter" et leurs enfants sont délaissés et deviennent des orphelins. La plupart des orphelins viennent de ceux qui se sont "accotés". Pour eux, c'est un plaisir de faire partir ces pauvres femmes en famille et au diable l'enfant qui sera donné à l'État. Pour d'autres, c'est de l'argent qu'ils utilisent pour attirer ces filles. Moi, je

trouve ça triste de faire face à ce monde incons-
cient. Ce sont des gens irresponsables envers notre société. Je sais bien que la loi ne peut pas
toujours intervenir dans ces cas car la plupart
de ces choses sont commises sans que l'entourage ne s'en aperçoive.

Les deux parcs les plus reconnus pour ces faits
là, à Montréal, sont le parc Lafontaine et le parc
Mont-Royal. Je pourrais détailler toutes les activités qui se passent dans nos parcs de Montréal
mais ce n'est pas mon domaine. C'est à la moralité d'avoir une surveillance plus étroite dans ce
domaine.

Je vais vous citer une vérité et vous prouver
des faits précis que toute personne qui n'a pas
de contrôle dans la boisson est une personne qui
détruit des pauvres malheureux.

Je sortais avec un de mes amis et son frère
vivait à ville St-Michel. Il était marié, avait
25 ans et aussi, il avait cinq enfants. Tous des
enfants malheureux et ils étaient rationnés car
l'argent ne rentrait pas et pour monsieur, c'était
la bière qui était la première avant sa femme et
ses enfants. *"S'il me reste quelques sous je pour-
rai remettre ça à ma femme"*. Mais pour le
trois-quart du temps, son argent était si mince
qu'il ne pouvait arriver à faire vivre sa femme et
ses enfants. Ce pauvre type prenait le droit de
faire partir sa femme en famille à chaque année
sans se soucier du danger que ses propres enfants
couraient d'année en année, et sa femme, elle

même trop peureuse pour se défendre, était obligée de se soumettre aux mauvais traitements que son mari lui faisait subir. Son frère qui lui, ne prenait aucune boisson alcoolisée comme moi, trouvait ça effrayant de voir son propre frère aller maltraiter sa femme quand il était "réchauffé". Et souvent, son propre frère qui était mon ami, était obligé d'intervenir car même les enfants pouvaient subir de mauvais traitements. C'est un fait réel que je vous raconte. Je continue à vous parler de cette famille malheureuse.

Pour ce type, son plaisir quand il revenait de la taverne, son but en rentrant chez lui, c'était de faire du bruit et de tout casser. Pauvre malheureux, il n'était pas conscient et sa femme attendait un sixième enfant. Pour lui, c'était une routine de "varger" sur sa femme et la faire pleurer, et chaque fois qu'il était "réchauffé" son frère était obligé de le maîtriser car ça pouvait finir tragiquement. La plupart du temps, il allait visiter le poste de police de Ville St-Michel.

À son travail, il était mécanicien chez Miron & Frères et presque toujours, il était en retard. Mais la compagnie le tolérait car c'était un très bon mécanicien. Cependant, avec ces abus de boisson, il y a toujours une fin. Alors, la compagnie fut obligée de le remercier de ses services car il n'était jamais à l'heure et la compagnie s'intéressait à des gens qui étaient à l'heure et non pas des retardataires.

Son frère travaillait dans une pharmacie et avait vingt ans. Pour moi, il fut toujours un bon copain et nous étions toujours ensemble les fins de semaine. On allait à Bois-des-Filions pour y passer la journée car son passe-temps préféré était la pêche. Moi, c'était de voir la nature et je me faisait brunir par le soleil. Son frère marié avait déménagé à Montréal-Nord car à Ville St-Michel il devait trop d'argent. Alors, il a décidé d'aller accumuler de nouvelles dettes sur le côté du logement. Sa femme ne sortait jamais car si elle ne veillait sur ses enfants et que son mari arrivait, elle pouvait s'attendre à une "volée". J'ai même assisté à plusieurs scènes et un soir trois voitures de la patrouille de Montréal-Nord vinrent sur les lieux pour maîtriser cet alcoolique qui n'était pas responsable de ses actes. Et la pauvre femme, elle était encore enceinte et c'était une autre malheureuse. Quand il était à jeun, c'était l'être le plus doux. Sa femme a tout fait pour le sortir de la boisson et toute bonne action que sa femme a voulu faire pour son mari, ce fut un échec pour elle.

J'ai finalement perdu contact avec cette famille: ils sont tous disparus de cet endroit. Que Dieu puisse bénir cette femme et ses enfants!

Je vais vous citer un autre cas d'un autre alcoolique, au dernier degré, qui demeure à Pierrefond.

J'étais en repos à Pointe-Claire et j'étais parmi une population de 90% d'anglais. Les gens, dans cette ville étaient très indépendants et venaient s'installer dans ce paradis résidentiel. Pour moi, c'était des gens sympathiques car ils ne cherchaient pas à pourchasser les canadiens-français. Je suis convaincu que si j'avais parlé anglais, j'aurais eu des amis chez les anglo-saxons de Pointe-Claire. Je demeurais sur la Hartford. Je faisais un tour de temps en temps dans le centre de la métropole. Un jour de juin, je partis tard et durant que je me rendais à Pointe-Claire, je vis un auto arrêter sur le bord de la route qui mène à Ste-Anne de Bellevue. Je m'arrêtai sur la bordure de la route et j'allai voir le monsieur qui était en panne. Je lui ai offert mes services. Le monsieur m'a demandé si je pouvais le monter à Pierrefond et j'ai accepté. Il était une heure et quinze du matin.

Nous sommes repartis à destination de Pierrefond et rendu chez lui, j'aperçus sa femme avec un bébé de deux mois dans ses bras. Je ne trouvais pas ça normal de voir la maison telle que je la voyais car je m'aperçus que toutes les vitres brisées étaient remplacées par des morceaux de carton. Le monsieur me trouvait curieux à me voir regarder partout et me demandait pour quelles raisons je regardais ça et là.

Monsieur ouvrit le réfrigérateur pour sortir une bière et aussi pour m'en offrir une. Je refusai car je n'aime pas la boisson et c'est là que j'ai fait une découverte dans ce "frigidaire". Il y avait une chopine de lait, le quart d'une livre de beurre et quelques tranches de pain. Il gardait ce lait pour nourrir son bébé d'un mois. Quand je lui ai demandé de quelle place il venait, il m'a répondu qu'il venait du centre de la ville, d'une taverne de l'ouest de Montréal.

Vu qu'il était 2 heures du matin, je lui ai demandé de coucher chez lui. Il m'a répondu "oui". *"tu es un très bon monsieur de m'avoir rendu service".* Je lui ai répondu qu'il me fait plaisir de rendre service à une personne qui a de la difficulté sur la route. Il était trop tard pour me rendre chez moi et je ne voulais pas déranger les gens qui s'occupaient de moi car la plupart de ces gens-là se lèvent de bonne heure pour travailler au centre-ville. Je me reposai jusqu'au lendemain matin. Quand je fus éveillé, je m'aperçu que je vivais parmi un monde pauvre. Les enfants jouaient autour de moi. J'étais couché dans la cuisine. Les pauvres enfants avaient l'air heureux malgré qu'ils étaient mal habillés. Ils portaient des "shorts" déchirés et des "corps" déchirés aussi. Ils n'avaient même pas de pantalon ou de chemise. L'âge variait de 2 ans à 7 ans. Mais selon moi, ils étaient des gens malheureux car leur père était aussi uni avec la bouteille. Il se foutait de voir ses enfants dans l'état où ils étaient. Alors je demandai à monsieur s'il travaillait. Il m'a répondu que oui, mais ce jour-là, il n'allait pas travailler car il devait regagner sa voiture aux abords de la route. Pour lui, c'est sa voiture qui le préoccupait et qu'il tenait à remettre en marche. Sa femme lui demanda s'il voulait prendre quelque chose avant de partir. Il demanda à sa femme si elle avait de la nourriture. Elle répondu qu'il restait du beurre et quelques tranches de pain. Il dit à sa femme qu'il n'avait pas faim et me demanda si je voulais manger. Je lui ai répondu que je n'avais pas faim et qu'il devrait penser à ses enfants.

Alors son but était de reprendre la route. Et je lui ai demandé s'il avait quelqu'un qui devait le transporter. Il me répondit que non et qu'il s'y rendait sur "le pouce". Je lui ai offert de monter avec moi en "scooter". Il me répondit oui, je saluai sa femme et nous nous sommes remis en route. C'est là que je lui parlai de sa femme. Je lui dit qu'elle souffrait de l'absence de son mari. Ses pauvres enfants avaient faim. Sa femme était sympathique. Elle était bien gênée et ne parlait presque jamais à des étrangers. À cause de son mari, la vie familiale était gâchée car sa préoccupation était la boisson au dernier degré.

Je l'ai ramené à son auto. Je suis resté avec ce mauvais souvenir et j'ai essayé d'oublier.

Je vais vous citer le cas no. 3 et croyez moi, c'est la vérité.

Nous étions en plein hiver en 1966. Je voyais un monsieur de temps en temps. Il ne paraissait pas heureux. Il demeurait sur la même rue que moi (Saint-André). Pendant l'année 1966, je n'ai eu aucune nouvelle de mon voisin qui était marié et qui avait des enfants: une fille et un garçon. Il vivait dans la maison de son beau-père.

Il travaillait pour une compagnie de ciment du nom de **"Laval Redemix"** à Pont Viau. Il arrêtait pour voir sa femme, pour manger aussi et il reprenait la route. Mais il n'était pas un gars stable. Je me suis aperçu de ça un beau jour, une fin d'après-midi. Je me promenais sur le trottoir avec mes amis et tout à coup, il surgit devant moi et mes amis en leur disant de s'en aller.

Je lui ai demandé pour quelle raison il voulait que mes amis me quittent. Il m'a répondu qu'il croyait que mes amis voulaient me battre parce qu'ils parlaient très fort. Je lui ai répondu que je n'étais pas en chicane avec eux et il me quitta brusquement pour retourner chez lui. J'ai demandé à mes amis d'oublier cet individu qu'ils n'avaient jamais connu et que moi-même, je connaissais à peine.

L'automne passa et l'hiver vint. Nous étions en février 1967 et tout à coup, ce monsieur demanda à me parler. Il me demanda: *"Jean-Guy, tu es un homme seul dans le monde"*. Je lui ai demandé qui lui avait dit que j'étais seul. *"Des voisins que je connais et que tu connais. Ils ont dit que tu avais écrit un livre sur les orphelins du Québec"*. Je lui ai dit que c'était vrai. Vu que je n'étais pas à mon aise et que je jugeais que c'était un type qui paraissait dur, je lui ai demandé de me parler moins fort car je suis très sensible aux étrangers qui me prennent sur un ton sérieux.

Il me demandait si tout allait bien et c'est là

que la question d'argent vint pour remédier à ses problèmes. Je voulais lui demander de me présenter sa femme car je le jugeais dur, et j'avais peur de lui.

Nous avons commencé à parler question d'argent. Il me demanda $70 pour son logement, pour la nourriture et pour habiller les enfants. Je lui ai répondu: *"attends-moi, je vais parler de ça à mon ami Robert"* et c'est là que nous nous sommes mis d'accord moi et Robert. Moi, je donnais $50 et mon ami, $29. On lui donnait $9 de plus qu'il nous demandait. Lui, il nous garantissait de nous rembourser $25 par mois. Un mois passa et je ne revis pas le $25. Je suis allé voir sa femme. Elle était au courant que nous avions prêté cet argent. Elle m'a demandé: *"Jean-Guy, êtes-vous bien pressé?"* Je lui ai répondu que non. J'avais été bien reçu car mon nom ne lui était pas inconnu. Son mari lui avait parlé de moi.

C'est là que la triste aventure commença. Pour la question d'argent, elle m'a répondu de ne plus y penser car pour eux, c'était oublié. *"Si tu veux le faire arrêter, tu es libre car cet argent t'appartient".* Je lui ai répondu que je n'étais pas pour faire émettre des mandats d'arrestation. Je voulais savoir si vraiment notre argent avait servi pour leur logement et la nourriture. Elle m'a répondu que notre argent a été liquidé dans la boisson. J'ai trouvé ça affreux car ce type avait une très bonne femme qui ne prenait pas de boisson. Elle me dit que c'est son père et sa mère qui avaient toujours vu à elle et ses deux enfants. Elle avait toujours été malheureuse et son mari, enivré, la menaçait toujours de lui donner la "volée". Finalement, la famille décida de le mettre à la porte parce qu'il devenait intolérable. Ils décidèrent de déménager à leur tour vers une destination que, moi-même, ne pouvais pas connaître. Cela, pour leur sécurité car son mari essayait de reprendre sa femme. Mais tout était fini.

Tous ces cas démontrent que des enfants sont aussi des orphelins dans notre monde parce que leur père ne s'intéresse qu'à la bouteille. Les orphelins de la boisson ont toute ma sympathie.

IV Mes neuf années dans le monde du travail

À mon avis, il y a beaucoup à faire dans notre monde moderne et nous sommes loin d'avoir réglé nos différends pour s'unir dans un monde meilleur. J'ai travaillé à la crèche D'Youville qui a été mon premier stage dans le monde du travail. C'était en mai 1963. On me fit placer à la buanderie. Ma responsabilité était de m'occuper des essoreuses pour tordre le linge avant d'être mis aux séchoirs pour être repassé, ce qui était la phase finale avant d'être redistribué aux départements. Le personnel était réparti comme suit: 85% était des filles dont le plus gros pourcentage était des garde-bébés, ensuite des gardiennes et des femmes d'entretien. 15% était des hommes. Les gens étaient aimables. Si quelqu'un était surchargé, on venait à son aide. J'aidais aussi toute personne qui en avait besoin. J'aimais bien aussi opérer des "baraques" (laveuses) ou les sècheuses. Quelques fois, nous étions entre nous des hommes à tout faire et j'aimais ça car ça me donnait la chance de connaître de nouvelles fonctions. J'aimais beaucoup ce travail et à l'heure du dîner, nous mangions parmi les garde-bébés et gardiennes et j'aimais bien cet entourage car j'avais plus de discussions avec les filles que les hommes. Pendant mon stage à la crèche D'Youville, jamais une fille ne m'a proposé de sortir sérieusement avec elle. J'ai toujours dit que la liberté de parole pour tout individu était sacrée et que c'est pas ça que tout individu interprète le chemin de sa liberté. Pour moi le respect de tout être humain se fait par la liberté de parole. Par la suite, j'ai écrit "Ma chienne de vie" et j'ai repris le chemin du travail. Une fois de retour en travail, on était conscient que j'avais publié un volume. La plupart des employés ont acheté mon livre. On m'avait demandé s'il y avait une suite. J'ai répondu que j'étais incertain car il fallait que j'aille chercher des preuves.

Un jour, je tombai très malade. Tout avait commencé à la cafétéria. Après avoir pris ma vaisselle, une fois tourné le coin du comptoir, un de mes employés qui se nommait monsieur St-Pierre me demanda si j'étais malade. Par orgueuil, je lui ai répondu que non. C'est là que le pire s'est produit. J'ai perdu connaissance et je fus obligé, par ordre du docteur, de prendre un repos. Devenu mieux, je repris l'ouvrage. J'ai travaillé dans la construction. Ensuite, j'ai travaillé pour une compagnie d'excavation à Rivière des Prairies. Mais j'ai été obligé de quitter cette entreprise car elle a fait faillite et pour la dernière semaine d'ouvrage, j'ai perdu mon salaire complet. Si cette compagnie a fait faillite, c'est que l'administration était pourrie et elle n'avait aucun contrôle. Si je déclarais comment la faillite a pu arriver, je me verrais liquider. Ce sont les employés qui sont responsables de cette faillite et puis la compagnie qui n'a pas pris ses responsabilités quant au contrôle du matériel lourd.

J'entrai chez "Duros Construction", comme journalier. Un jour, on me demande de remplacer un contremaître. Le directeur de la compagnie n'a jamais été au courant de cet incident. Il aurait pu arriver bien des choses à la compagnie mais tout s'est bien passé. Mais, ils ne m'ont jamais payé comme contremaître. Nous étions en 1965, au mois d'août. Mon contremaître était quelqu'un qui avait de grosses responsabilités et risquait son travail comme contremaître en confiant sa place à un journalier. Cependant, il savait bien ce qu'il faisait car il m'avait étudié avant de risquer une telle chose. Mais un incident aurait pu le mettre en danger car nous avions un type qui faisait la tournée du chantier pour voir si tout allait bien. Chaque contremaître de chantier avait un rapport à soumettre au bureau de la direction de la compagnie. Que Dieu soit loué car ce type n'a pas passé et tout redevint normal. Malgré que ce contremaître ait été très dur pour moi, car il ne ménageait pas ses journaliers, il avait encore une fois besoin d'un homme de confiance qui était moi. Pourtant, il ne me ménageait pas moi non plus. Mais moi, mon but était de lui prouver que j'étais prêt à oublier et à recommencer tout à neuf. J'aime à prouver que dans la vie, il faut pardonner. Pour tout le temps des travaux, je suis devenu un grand ami pour lui et lui de même pour moi.

Une fois terminé, je suis reparti pour le fameux bloc-appartements dans Outremont, sur la rue Ducharme. Quelques mois après, ils m'ont envoyé à l'école Notre-Dame de Pompéi, coin St-Michel et une rue au sud de Sauvé. Je suis allé travaillé à l'école de technologie de Ville Jacques-Cartier. Cette école fut construite pour ceux qui avaient un quotient intellectuel faible, des gens un peu arriérés. Ils me faisaient penser à des délinquants, mais pas tous, car il y en avait de très bon parmi eux qui voulaient faire quelque chose pour améliorer leur sort, pour avoir un avenir meilleur. Vu que le chantier tirait à sa fin, je fus transféré à une nouvelle école en construction, coin Jarry et Christophe-Colomb. Nous étions au début de janvier 1966 et j'y ai travaillé trois semaines. Je quittai Duros Construction mais sans oublier trois contremaîtres qui ont été très bons pour moi. Je suis resté en communication avec eux. Aujourd'hui, il reste un contremaître qui travaille toujours pour Duros et qui me donne encore de ses nouvelles car nous sommes devenus des frères et je suis fier de lui.

Je quittai définitivement Duros pour devenir employé d'une compagnie américaine qui avait le contrat de la construction du métro de l'île Ste-Hélène. Je suis resté un mois. Je faisais douze à quatorze heures par jour et six jours par semaine. Nous avions des contremaîtres très durs et sans pitié. La preuve, une fois que nous avions coulé le fond de la première base, ce fond était trois pouces trop haut. Il a fallu tout refaire ce travail. Mais une chance que le béton n'était pas trop durci. Il faisait très humide et c'est pour cela que l'on pu réparer l'erreur à temps. Mais qui était victime de cet accident? Les pauvres journaliers! Là aussi nous avions des contremaîtres sans pitié. Mais nous étions des "gagne-petits", il fallait se soumettre. Je vais vous prouver que nous n'étions pas ménagés. Quand les "slabs" (planchers de béton) étaient terminés, il fallait couler deux malaxeurs dans les dales de treize verges à la fois et pour nous, il fallait les fournir car on en entendait parler! J'ai quitté le chantier car les "slabs" étaient terminés. C'était au tour de ceux qui perforaient le roc à faire leur travail. Quelques temps après, je suis retourné travailler. Nous étions en 1966 et la structure d'acier tirait à sa fin car c'est "Dominion Bridge" qui avait le contrat du Château Champlain mais pour la structure de fer, les grands responsables étaient "Cap-Janin Construction". Moi, j'avais commencé comme journalier et plus tard, ils m'ont confié le poste de guide d'opérateur de "grue". Ma fonction était de monter les matériaux pour fournir les colombages de 8X8 ou 2X4 ou les feuilles de "ply-wood" de un pouce. Nous avions su qui travaillait pour monter les "slabs" et la plupart des "foremen" étaient endurcis. Moi, c'était la première fois que je voyais des "foremen" qui avaient des jumelles de précision pour surveiller leurs journaliers pour voir si quelqu'un s'arrêtait pour fumer ou ralentir son travail. Moi, j'étais mieux traité qu'eux car j'étais guide pour l'opérateur de la "grue" et je faisais affaire avec

"Janin Construction". Une fois rendu au quatorzième étage, je me suis fait pincé par un inspecteur du gouvernement qui s'occupait de surveiller les types imprudents dans les chantiers.
Cette journée-là, il faisait beau et à mon dîner,
je me suis assis sur le bord du quatorzième étage
les pieds dans le vide. C'était la deuxième fois
qu'il me prenait en défaut et ça été la porte
pour moi car j'étais un type imprudent! Alors
je suis allé travaillé pour "Dupuis & Frères",
coin Maisonneuve et St-Thimothée. Ma responsabilité était de m'occuper du stationnement et
je travaillais à $1/h. J'étais parti de $3/h pour re-
descendre à $1. Mais pour moi, c'était temporai-
re car j'avais fait application pour les terrains de
stationnement de la Ville de Montréal. Là,
j'avais deux bons copains de travail. J'aimais
bien partager mon travail avec eux et je faisais
32 heures par semaine à $1/h. Mais je n'aimais
pas rester à rien faire comme d'autres qui aiment
à se faire vivre par l'État. Dieu merci que je ne
sois pas devenu un paresseux malgré ma dure
enfance!

Ma ville me fit demander le 18 octobre 1966
pour commencer à travailler au stationnement.
Mon premier terrain a été, si je me souviens bien,
soit le 87, face à chez Dagiovani. À ma première
journée, j'aidais le préposé tout en m'habituant
au travail. J'étais en période d'essaie. Une fois
terminé, c'est là que graduellement, il m'envoya
travailler seul. J'étais un bouche-trou mais
j'aimais ça et mon but était de connaître mieux
mon entourage. Plus les mois passaient, plus je

découvrais bien des gens qui m'ont révolté et d'autres qui étaient comme moi, qui aimaient se rendre utile à leurs confrères. Un samedi, je travaillais au 65, face au terrain no. 6, et c'est là que la première révolte s'est emparée de moi! Cette journée-là, il faisait dix sous zéro et les deux permanents ouvraient leur cabine à 8 heures du matin. Moi je travaillais seul au 65 face au 6 et j'avais la responsabilité du terrain qui se trouvait coin St-Laurent et Dorchester. À 9 h a.m. un nouveau préposé allait travailler avec eux pour la journée car lui aussi était comme moi. Avant qu'il aille travailler au terrain 6, il avait été mon assistant au 113 sur la rue Sherbrooke, coin Champlain, face à l'hôpital Notre-Dame, et pour ce préposé, je lui avait montré à compléter les rapports quotidiens de la journée et le type apprenait facilement et j'étais fier de lui. S'il ne comprenait pas quelque chose, je lui expliquais à nouveau et le type voulait apprendre car tôt ou tard, il pouvait devenir en charge, lui aussi, d'un terrain. Mais bien des préposés n'aimaient pas à aider les nouveaux car ils n'avaient pas de patience. *"Au diable le nouveau. S'il ne fait pas ce que je lui demande, je ferai un rapport disant qu'il n'est pas fait pour ce travail".*

Je ne juge pas tous les préposés car nous en avons de très bons parmi eux. Je reviens au terrain no. 6 pour détailler ce que les deux permanents avaient fait cette journée-là à leur nouveau. Nous étions dans le mois de février 1967 et je travaillais de l'autre côté de la rue Dorchester tout en suivant les activités du terrain 6. De mon côté, le terrain était mort mais pour le 65, ça marchait. J'ai pu me rendre compte que la responsabilité du nouveau était de placer des voitures. Mais quand il avait froid, il se dirigeait vers la cabine pour aller se réchauffer. Mais les messieurs permanents ouvraient la porte toute grande et ils éteignaient la chaufferette. Lui, s'il fermait la porte ou allumait la chaufferette, eux ils agissaient tout de suite et ce malheureux, il souffrait de plus en plus du froid, il tremblait de froid et eux, ils riaient de lui en lui disant: *"Envoyes Père Noël, si tu veux te réchauffer, viens fermer la porte si tu es un homme"*. Le pauvre malheureux sans défense refusait de se défendre et moi, je devenais de plus en plus révolté de ce qui se passait devant moi. Mais si je touchais soit l'un ou l'autre, j'étais mis dehors car j'étais encore nouveau. Toute personne qui se battait à son travail était automatiquement mis dehors. Vers cinq heures du soir, l'autre permanent prenait la caisse du préposé qui avait opéré depuis 8 h a.m. Il demanda au permanent, qu'est-ce qui se passait pour ce type qu'il avait aperçu et qui tremblait de froid. Alors, il lui a dit: *"Viens te réchauffer"* et lui, tout heureux, rentrait pour se réchauffer près de la chaufferette dans la cabine, mais avec la porte fermée cette fois-ci. Il ne disait pas que le monsieur prenait le plaisir de lui ouvrir la porte car l'autre permanent n'avait pas froid aux yeux et il prenait pour le nouveau. Il était temps que quelqu'un s'occupe de lui. Quelques temps après, j'ai appris que ce malheureux avait été remercié de ses services. Moi, je ne pouvais rien faire pour lui car j'étais considéré comme débutant et je n'étais pas assez influent auprès des responsables des terrains de stationnement. Deux semaines après, un samedi, l'inspecteur me donna un cédule pour la fin de semaine. Le samedi, je commençais au terrain no. 10, à 9 h a.m. et terminais à 6 h p.m. Une fois, l'inspecteur rentrait du terrain 28, coin Amherst et Dorchester, je fis un téléphone au contremaître lui disant que si je ne travaillais pas plus d'une heure, il saurait pourquoi car je ne tenais pas à souffrir le même sort que le pauvre malheureux. Il m'a demandé de lui faire part de ce que j'avais vu et je lui ai répondu que je n'étais pas assez avancé pour pouvoir témoigner de tout ça, à moins que les deux autres veuillent bien coopérer avec lui (je parle du préposé du soir qui avait pris sa part). Je lui ai dit qu'il était impossible d'en discuter plus longtemps car l'auxiliaire avait été mis dehors et que moi, j'avais trouvé ça injuste de punir un type qui faisait tout son possible pour donner un bon rendement et que l'enquête avait été faite à l'aveuglette. Le contremaître m'a répondu de me rendre le voir et que demain, il ferait suivre ça de près.

Le lendemain, je commençais à 9 h a.m. Tel que prévu vers 10 h a.m., l'inspecteur me salua en me demandant comment mon travail allait avec mes deux autres confrères. Je lui ai répondu que tout allait bien et il me quitta. Vers 11 h 15 a.m., un autre inspecteur me demanda la même chose que le premier. Je lui ai répondu que si je n'avais pas quitté le terrain, c'était que tout allait bien. La journée s'est bien passée. Je fis plusieurs terrains et avec certains préposés, j'étais bien heureux de travailler. Avec d'autres, je me sentais malheureux et je vais vous citer un autre fait.

C'était une demande en plein hiver, au mois de janvier 1968. Je commençais à 12 h p.m. au 117 sur le Mont-Royal et c'est un des plus grands "parking" de la montagne. Le temps était beau et le vent venait de l'ouest. Une fois en fonction, je donnais les billets aux autos qui fréquentaient le terrain et les deux autres s'occupaient de collecter mais il y en avait un des deux qui n'aimait pas trop les clients car au Mont-Royal les pourboires étaient très minimes pour la quantité de voitures qui passaient. Si ma mémoire est bonne, il avait passé presque mille voitures avec un temps de zéro et même sous zéro. Je me suis aperçu qu'un des préposés, s'il se faisait dix cents, il le retournait bêtement au client. Pour 25 cents, il acceptait avec un grand sourire. Pour moi, c'était choquant de voir des préposés donner un mauvais rendement à la clientèle. J'ai même vu d'autres préposés, lorsqu'un client payait avec des sous noirs, les "garocher" dans la voiture ou sur le terrain même. Un autre fait que je vais vous citer, j'ai vu certains préposés réserver le terrain à tout client qui donnait des pourboires et qui était régulier sur ce terrain. Malgré que le client lui faisait voir qu'il y avait de la place sur le terrain, le préposé qui aimait à se faire "payer" lui répondait: *"pour tous clients qui ne sont pas "tipeux", nous n'avons pas de place pour eux", "il faut garder de la place pour nos locataires"* (pour certains, c'était vrai mais pour d'autres, c'était une arme pour se défendre). Et de moi, on disait: *"Méfiez-vous de Labrosse car c'est un "stool""*.

J'ai même travaillé avec des préposés qui volaient les clients. Malgré que les préposés étaient obligés de noter les numéros des plaques d'immatriculation, si un client ne réclamait pas son reçu, il pouvait être victime soit d'un 25¢ pour le secteur est, ou 30¢ pour le secteur ouest. La méthode de certains préposés étaient de jouer avec les minutes. Ça, c'est pour ceux qui réclamaient pas leur reçu car pour 30 minutes, si le préposé avait une chance de lui prendre 60¢ au lieu de 30¢, ça lui faisait plaisir et si un moment après le client s'apercevait qu'il s'était fait prendre 30¢ de plus, le préposé lui demandait de lui montrer son reçu et comme il ne l'avait pas, il ne pouvait rien faire malgré qu'il avait raison. Mais aujourd'hui, la parole ne compte plus. C'est le coupon qui est la preuve! J'admets qu'il peut se produire des erreurs car personne n'est infaillible et toute personne peut commettre des erreurs. Moi-même, j'ai été témoin de certains préposés qui avaient commis des erreurs en réclamant soit un 25¢ de trop pour la partie est, ou 30¢ pour la partie ouest. Le préposé préparait un mémo avec un numéro du billet et le numéro de la voiture du client apparaissait sur ce billet, et il demandait à la finance de retourner ce 30¢ de trop qu'il avait chargé par erreur. J'admets que c'est un travail très dur pour certains préposés et que par la fatique, le préposé puisse commettre des erreurs. Nous avions des terrains très actifs et d'autres morts qui ne rapportaient rien à la ville. J'admets que nous avions beaucoup de préposés qui n'étaient pas intéressés aux pourboires et que pour eux, c'était la courtoisie qui leur donnait courage.

Aujourd'hui, les préposés font de très bons salaires et si j'avais un choix à faire entre le stationnement de la ville et l'entreprise privée, je préférerais les terrains de la ville car on a une meilleure sécurité. Si une voiture est endommagée sur le terrain-même et qu'il est prouvé que c'est la faute du préposé en charge du terrain, la ville s'engage à payer les dommages. Moi-même, j'ai vu des accrochages sur des terrains de la ville qui avaient été causés par les préposés à l'emploi de la ville de Montréal. Pour chaque accident qui est fait par un préposé, ce dernier est obligé d'appeler la police pour qu'elle vienne prendre le rapport de l'accident et le client qui se trouve propriétaire de cette voiture est aussi avisé la même journée. Il peut communiquer avec le poste de police qui a pris le rapport de l'accident. Mais le préposé s'engage à compléter un rapport avec la police pour que la ville se décharge de cette responsabilité. Voilà pour quelle raison je préfère mieux les terrains municipaux, c'est pour avoir une sécurité et non pas me faire démolir ou me faire voler ma voiture car également, pour toutes voitures volées sur un terrain municipal durant qu'elle est en stationnement, la ville tient des rapports. Alors qu'est-ce que vous voulez de plus? Ça c'est votre choix. Moi-même, tout le temps que j'ai travaillé sur les terrains de la ville, la plupart étaient satisfaits de moi (je veux parler des clients et de mes supérieurs).

Je voudrais citer un autre fait sans mentionner un des noms de mes supérieurs qui a royalement cherché à détruire ma réputation. Tout avait été fait dans mon dos. Ce soir-là, je travaillais au terrain 5, coin St-Christophe et Dorchester. J'admets que des adolescents étaient venus quelques fois me demandant si j'avais besoin de quelque chose du restaurant (la plupart des terrains étaient visités par des adolescents pour demander aux préposés s'ils avaient besoin de quelque chose et ces préposés toléraient les jeunes pourvu qu'ils ne nuisent pas à leur travail). Mais pour certains supérieurs, c'était l'inverse, ils cherchaient à juger certains préposés comme dangereux pour nos adolescents. Moi-même, j'avais été classé parmi ces êtres dangereux pendant que je travaillais sur ce terrain. J'avais deux messieurs qui étaient placés pour me surveiller. Ils entraient et sortaient. Alors quand ils revinrent, je leur demandai pourquoi ils rentraient sans venir s'identifier comme tout client car ça faisait deux fois que je poinçonnais des billets qu'il a fallu canceller. Ils m'ont répondu qu'ils étaient envoyés ici par le département de la brigade criminelle pour surveiller une personne louche. Alors je leur ai demandé: *quand vous viendrez surveil-*

ler votre personne suspecte, veuillez vous identi-fier comme tout client car je serai dans l'obliga-tion de faire un rapport confirmant que vous me nuisez dans mon travail." Alors, un des deux commença à s'alarmer me disant: *"vous m'em-pêcherai pas de venir me garer sur le terrain".* Moi, je leur ai dit: *"Vous êtes des messieurs qui vous croyez tout permis. Pour vous, vous avez le droit de nuire à tout travailleur sans lui deman-der s'il est consentant à se faire nuire par des hommes de loi qui croient avoir le droit de jouer avec la loi. Si vous continuez à jouer avec mes nerfs je vous laisserai le terrain et moi, je monte-rai chez moi et j'expliquerai à mes supérieurs pour quelle raison j'ai quitté mon terrain avant la fin de la journée".*

Alors fâché, il partit en fou et disparut pen-dant une heure. Mais il revint pour me demander d'oublier l'incident. Je lui ai répondu: *"une per-sonne qui cherche à m'ennuyer, je ferai tout ce qui est possible pour défendre mes droits. Si je ne suis pas capable de régler mes différends avec la personne concernée et si j'ai raison, je conti-nuerai à me défendre jusqu'au bout. Si j'ai tort je céderai tout en m'excusant".*

C'est deux ans après que j'ai su qui étaient ces deux policiers. J'ai appris par un des officiers du syndicat de la fonction publique que ces policiers avaient été envoyés par mes supérieurs et se faisaient passer pour des messieurs très vail-lants de la brigade criminelle mais ces deux mes-sieurs étaient des policiers qui travaillaient pour la moralité. Moi, je trouvais ça décevant que des supérieurs prennent la responsabilité d'envoyer des polices pour vérifier des préposés qu'ils trouvent louches. Franchement, ça prend des imbéciles et des irresponsables pour payer des policiers avec l'argent des contribuables afin de vérifier quelqu'un qui parait louche sans avoir de preuves suffisantes.

D'ailleurs, c'est moi qui a définitivement refusé de retourner à mon ancienne division car je ne pouvais supporter un supérieur qui cherchait à détruire une personne qu'il n'aime pas et ça, ça se produit fréquemment à la ville que des gens cherchent à nuire à leurs compagnons de travail. La raison, ils se battent pour les promotions. Pour moi, ce sont des ambitieux ces gens qui détruisent leurs confrères dans leur dos, sans raison valable.

Voici la note transmise pour mon supérieur des terrains de stationnement:

Le 17 octobre 1969

Monsieur Jean-Guy LABROSSE
6874, rue St-Denis, app. 18
MONTRÉAL 327

Monsieur,
    Suite à votre visite au bureau et pour la raison que vous n'avez plus de permis de conduire, nous désirons vous informer qu'à compter du 18 octobre prochain, vous n'êtes plus attaché à la fonction de préposé aux terrains de stationnement.

Vous devrez vous présenter à Monsieur G. . . , Contremaître de notre section de l'atelier, lundi, le 20 octobre prochain pour 8 h. et vous occuperez la fonction de journalier. Nous vous invitons à suivre consciencieusement les directives que vous recevrez de ce contremaître ou de ses collègues.

Nous vous souhaitons bonne chance dans vos nouvelles attributions.

Bien à vous,

Le surintendant, division du stationnement

Alors moi, je voulais retourner à mon ancien département, mais tout avait changé. Le monsieur surintendant ne voulait plus me revoir. Alors je lui ai demandé pour quelle raison il n'avait jamais voulu me détailler les vrais raisons pour lesquelles il me supprimait de mes anciennes fonctions. La seule réponse que j'ai pu avoir avec certitude est que je n'étais pas un type à laisser travailler seul! Il fallait que je sois accompagné d'un ange-gardien malgré que j'avais battu des "records" sur certains terrains de stationnement, comme celui du 104 face à l'Hôtel de Ville de Montréal, sur la rue Notre-Dame. Mais c'est la vie! Alors je lui ai dit que je lui ferais une grief. Il m'a répondu que ça ne le dérangeait pas. Mais pour lui tenir tête, je l'ai fait pour lui prouver que lorsqu'une personne a tort, tout est bon pour l'adversaire afin de prouver son innocence. Et j'ai gagné ma cause, ayant fait la demande de grief par mon délégué au département de la circulation. C'est là que toute la vérité et les pièges qui avaient été tendus contre moi ont été soumis par l'union. C'est pour cela que j'ai dit que nous avons des dangereux parmi notre personnel qui croient pouvoir tout faire contre les personnes qui ne "sentent" pas. Et c'est pour cela que j'ai refusé de retourner à mon ancien département, pour ne pas ennuyer le surintendant de cette section. Pour moi, j'ai oublié le passé avec ce monsieur-là, mais tout pourrait finir mal pour lui car jouer dans le dos d'une personne, ça pourrait le mener loin. Si j'avais été méchant pour lui, je l'aurais poursuivi devant les tribunaux car j'avais des preuves qu'il avait cherché à nuire à ma réputation en s'attaquant à ma vie privée. J'ai préféré refuser et ne pas retourner dans cette division car j'avais exigé une preuve par écrit:

Le 26 avril 1971

Pour faire suite à l'entrevue que j'ai eue avec vous en date du 26 avril 1971, je, sousigné, Jean-Guy LABROSSE, désire me désister du grief que j'avais posé pour retourner au terrain de stationnement, et désire garder la fonction que j'accomplis présentement.

Cette déclaration est faite de mon propre gré après avoir considéré l'implication du pour et du contre.

Signé: Jean-Guy LABROSSE
No de matricule: 277781.

Rentrai dans ma nouvelle fonction, le 20 octobre, je recommençais à neuf. J'étais ignorant de ce travail. C'était bien normal pour moi car je recommençais à zéro. Comme départ: la fonction de journalier que la plupart du monde connait. Alors les premiers travaux étaient d'aller creuser des trous de dix-huit pouces pour installer des bases qui retiennent la tige et l'enseigne de règlementation. Plus tard, ils m'envoyaient sur l'installation des "fermetures de rues" ou faire des "sens unique" ou "ouvrir les rues" une fois les travaux terminés. J'ai même travaillé avec un compresseur ce qui est un véritable fardeau. C'est une des choses que la plupart des journaliers ou des gars de la fonction ne sont pas capables de garder des années car c'est dur pour le physique. Je n'ai pas enduré longtemps car je ne suis pas fait pour un travail dur. Mais je me portais volontaire. On n'a jamais manqué de quelqu'un et si la chose devenait pressante, je n'étais pas seul à me porter volontaire car d'autres étaient comme moi, à vouloir compléter ce travail qui pouvait exiger un ouvrage régulier. Sans ce travail, les patrouilles devenaient paralysées. Mais heureusement, c'est une chose qui ne s'est pas produite avec moi, et ça ne se produira pas car en dehors des journaliers, le seul type qui peut être forcé à prendre le compresseur, c'est celui qui n'est pas journalier. Celui qui travaille avec le compresseur gagne 45¢ de plus que le journalier. C'est bien normal que le contremaître qui a la responsabilité choisisse lui-même une victime qui gagne plus cher que le journalier pour remplir cette fonction.

Mais pour nos journaliers, ils ne sont pas forcés
de remplir ces fonctions car ils ne sont pas ré-
numérés comme des gens qui ont un salaire en
permanence (salaire plus haut que les journaliers) comme les chauffeurs permanents.

Moi-même, quand j'ai eu le grade neuf l'année
passée, je n'avais pas peur de me salir et de
coopérer avec les journaliers. Je n'étais pas le
seul à agir comme ça et malgré mon dévouement, j'ai reçu trois rapports dans le dos en
dedans d'un mois et demi. Qui sont les responsables de ces faux rapports? Pour moi, ce sont
des fantômes car il est inutile de trouver les coupables. Si je parle avec ce ton-là, c'est parce que
nous avons des gens qui nous révoltent et qui
sont sans pitié envers leurs confrères. J'admets
que nous avons des gens qui sont prêts à partager
avec le petit et qui ont une conscience envers
leurs confrères. Mais je voudrais que ceux qui
n'ont jamais été juste envers les journaliers
puissent donner une chance en encourageant
ce dernier car c'est lui qui est souvent obligé de
prendre la "marde" du monsieur qui se croit
supérieur à lui. J'ai même entendu certaines
personnes se menacer entre elles pour des raisons stupides.

J'admets que certains journaliers ont un peu
plus de privilèges que d'autres. Je veux parler
de certains chauffeurs temporaires qui ont
obtenu ce privilège. Certains chauffeurs temporaires jouent avec leur privilège pour essayer
par exemple, de s'en prendre à un chauffeur

permanent qui est reconnu comme un faible, et fait ce qu'il veut avec lui. Moi-même, j'ai vu ça dans ces départements. C'est une autre chose qui me révolte. J'ai vu un journalier chauffeur temporaire chercher à "marionner" un chauffeur permanent et faire ce qu'il voulait. Il risquait de se faire prendre en défaut et pourtant le chauffeur permanent savait que des "pointeurs" sont payés pour prendre les chauffeurs imprudents en défaut ce qui pourrait le mener à une suspension soit temporaire ou permanente. Pour qui? Pour l'amour d'un journalier qui n'était pas capable de compléter le travail que le chauffeur-aide, ou chef d'équipe, lui demandait de faire!

Je voudrais vous souligner aussi quelque chose qui se produit deux fois par année, soit la fête de Noël et la fête du jour de l'An. Tous les employés de mon département deviennent alors comme des frères et la plupart des employés se serrent la main en se souhaitant des voeux qu'ils désirent voir se réaliser. Mais pour quelques-uns, c'est un rêve et pour d'autres, ça devient une réalité. Mais pour ces gens-là qui ne peuvent pas réaliser leurs souhaits, il ne faut pas chercher à détruire leur entourage parce qu'ils n'ont pas pu réaliser ce qu'ils désiraient voir devenir une réalité. Si vous êtes patients, votre désir pourrait devenir une réalité. Pour moi, la réalité que je cherche, c'est de vous voir heureux ensemble. Je suis l'homme le plus heureux quand je vois devant moi les employés de mon département s'aimer, rire et chercher à avoir du plaisir entre eux. Moi-même, je me sens heureux et je partage ma joie avec mes confrères de mon département ou d'autres départements de la ville. Et je souhaite avec grand désir que notre monde de travailleur puisse devenir ainsi pour de longues années et nous vivrons comme si nous étions au paradis. Mais une fois ces deux journées passées, tout s'écroule vite! Nous retombons dans un enfer. Il est facile de trouver les raisons pour lesquelles nous vivons dans un enfer 363 jours par année. Il suffit de chercher à diminuer cette tension qui menace notre existence de jour en jour, cette tension qui nous détruira un jour. Pourquoi nous argumenter pour une simple promotion? C'est une chose qui ravage beaucoup le monde ouvrier.

Je vais vous donner une preuve. Le journalier a comme salaire de base $3.50/heure et en haut du journalier, 8¢ de plus par grade supplémentaire. Pourquoi s'entretuer pour 8¢ de plus? Mais pour moi et pour ceux qui sont d'acccord avec moi, ceux qui cherchent à sauter de l'un à l'autre, ce sont des dangereux pour avoir une augmentation. De toute façon, tôt ou tard votre tour viendra car l'union et la ville, ils sont d'accord: les premiers arrivés sont les premiers servis. Mais ce n'est pas tous les employés qui respectent ça parce qu'il y a des "liche-cul". Mais pourquoi un type qui se croit plus pesant qu'un autre aurait-il le poste qu'il désire avoir? A-t-il des parents qui ont d'autres postes à la ville? Y a-t-il du "pushing" à l'Hôtel de ville? Mais pour moi, rien ne peut m'arrêter si je me sens capable d'avoir une promotion. Je ne chercherai pas à passer par dessus l'un et l'autre car pour une fonction à la hauteur du contremaître, la ville affiche une feuille qui stipule un concours et tout candidat peut inscrire son nom et celui qui a les meilleures qualifications pour remplir ce poste l'obtient. Mais en bas de l'assistant-contremaître, c'est là que l'injustice arrive. La raison? Posez-vous tous la question! Vous saurez si oui ou non le poste a été donné honnêtement ou par injustice. Mais il faut savoir que la plupart de ces injustices viennent de discussions faites dans le dos des responsables du département (ou des départements). Moi-même, j'entends souvent parler d'un et de l'autre souvent dans leur dos mais rien n'est résolu. Pour moi, si toutes ces personnes voyaient à résoudre leurs problèmes avec les personnes concernées, je suis certain qu'il se produirait de gros changements dans le monde du travail. Mais des lâches, il y en a toujours et ça durera encore longtemps, tant que ces hypocrites seront mêlés au monde du travail.

J'espère que de grands changements se produiront lorsque tous les responsables du monde du travail chercheront à réparer les injustices parmi notre monde travailleur. Pour terminer, je désire que tous nos travailleurs, qu'ils soient journaliers ou contremaîtres ou faisant partie de corps de métier, peu importe, se donnent la main et cherchent à régler leurs affaires face à face, mais pacifiquement et non pas par la violence.

V La vie avec les motards

Ce volume que je dois dédier à l'humanité sera une vérité qui bouleversera toute personne intéressée à vivre dans un monde cruel ou nos endurcis de la société mettent la sécurité de la vie en danger. Je vais vous citer un exemple, nos motards, suivis de nos automobilistes. La plupart des facteurs de ces irresponsabilités peuvent venir de la drogue, des abus de boisson ou par l'argent. Notre société est libre mais avec l'argent, car sans argent, c'est une liberté misérable. Je vais vous parler de la vie que j'ai partagée avec des motards jusqu'à présent. J'ai toujours cherché à prêcher une vie pacifique et non de violence comme certains qui répandent la violence et mettent la vie en péril de tous nos honnêtes pacifiques qui n'ont jamais cherché à faire de mal à personne. Je me nomme Jean-Guy Labrosse ou si vous voulez le surnom que plusieurs motards m'ont donné, le "maniaque du B.M.W.". C'est vrai car j'aime bien cette moto-là car elle m'a donné ses preuves d'endurance sur de longs parcours que j'ai faits au Canada et aux États-Unis. Je fais de la moto depuis neuf ans. Je parcours 10,000 milles par année. Je suis bien

connu parmi les motards pacifiques du Québec.
Je vais vous parler des deux années que j'ai passées dans un club de la ville de Québec. Le nom
de ce club était "**Thunder Club**". Leur local
était sur la rue Lavigueur, dans la vieille partie
de la ville de Québec. C'est mon premier volume
qui m'avait fait connaître ce milieu car s'ils
n'avaient pas été des pacifiques, ils n'auraient
pas cherché à discuter du milieu pacifique que
moi et bien d'autres cherchons. Ils m'ont amené
à leur local et ils m'ont présenté tous les membres de ce club. Après, ils m'ont offert de la
bière, mais vu que je ne buvais pas, ils m'ont
donné de la liqueur. Pour ceux qui voulaient
danser, il y avait tout l'équipement pour ça.
Ceux qui ne dansaient pas, ils partaient en pro-
menade avec leur moto. La plupart des membres
de ce club étaient des jeunes travailleurs ou étu-
diants et ça se voyait que ces jeunes ne cherchaient pas la violence car la plupart n'aimaient
pas avoir de motos "choppées" ou tapageuses. Je
sortais souvent en excursion avec eux et toutes
les fois, c'était vraiment quelque chose de bien.
Quand ils allaient au camp dans St-Raymond
de Portneuf, c'était la baignade. On cherchait
à jouer à différents sports qu'on aimait. Pour
moi, c'était une chose fantastique car aucun de
ces membres ne prenait de la drogue ou cherchait à mettre la vie de l'autre membre en danger. Tout ce qu'ils faisaient était pacifique.
Personne ne s'ennuyait car il y avait tout pour
distraire les membres qui faisaient partie de ce
club. À tous les quinze jours, il y avait une sortie et entre ça, les membres étaient libres d'aller

passer leur fin de semaine avec leurs parents ou d'autres amis. À chaque mois, il y avait une assemblée pour tous ceux qui étaient membres. Aux assemblées, on soumettait tout ce qui c'était passé durant le mois et si quelque chose ne marchait pas, il fallait chercher de nouvelles méthodes pour l'améliorer. Mais il y avait certains règlements que quelques membres n'aimaient pas, comme par exemple, il fallait 60% des votes pour améliorer certaines injustices que la plupart voulait corriger avant qu'il ne se produise des accrochages envers les membres.

Nous devions payer $4 par mois comme cotisation. Cette cotisation donnait le droit de loger gratuitement au camp et d'aller à certains "party" en plein air avec orchestre. Nous étions huit motos et dix-huit à vingt membres car il y avait une voiture pour ceux qui n'avait pas de moto ou pour les motards dont la moto était en réparation. Les activités duraient 52 semaines par année car une fois les motos entreposées pour l'hiver, le club fournissait des motoneiges pour faire de la "trail". Ceux qui n'aimaient pas la motoneige allaient faire du ski à Beauport et personne ne s'ennuyait durant la saison froide. Il y avait de la musique pour ceux qui aimaient la danse. Tout se faisait au local. J'ai été membre de ce club pendant deux années à Québec. Après, le club fut converti en club automobile. Tout ceux qui avaient une moto devaient la vendre ou s'ils ne voulaient pas la vendre, ils étaient obligés de démissionner. Vu que moi,

j'aimais ma moto j'ai donné ma démission tout
en leur souhaitant bonne chance avec leur nouveau club automobile et j'ai serré la main des
membres en leur laissant un adieu et en leur
souhaitant beaucoup de succès dans leur nouvelle organisation automobile.

Une fois de retour à Montréal, je restai
neutre pendant trois semaines puis j'ai eu une
invitation par le club des **"Cobras Chapitre II"**
et leur local se trouvait à l'Église St-Jacques,
coin Ste-Catherine et St-Denis. On se rencontrait
soit sur la rue Jeanne Mance, coin Ste-Catherine
ou dans la ruelle Mentana, entre Cherrier et Roy.
Il y avait un local dans cette ruelle. Trois jours
après, j'étais initié dans ce club des **"Cobras
Chapitre II"**. Je restai membre trois semaines
seulement car j'avais participé à deux assemblées
et pour 70% des membres c'était des jeunes qui
n'étaient pas sérieux. Ils aimaient à jouer entre-
eux ou "chopper" leur moto et faire du bris
dans la ville. Pour voyager, la plupart des motos
ne pouvaient affronter les nouvelles lois qui
avaient été faites soit aux États-Unis ou dans les
autres provinces du Canada. Par exemple, le port
des casques obligatoire ou encore, il était interdit
de voyager avec des fourches longues et des poi-
gnées longues. Alors la plupart des membres se
sont aperçus qu'ils ne pouvaient pas voyager en
dehors du Québec, à cause qu'ils ne pouvaient pas
suivre les normes des autres provinces. Trois semaines après, je donnais ma démission au président. J'avais payé $15 pour porter le "crest" du
club.

Quand on démissionnait, il fallait remettre le "crest" et quitter le club sans aucune rancune. Moi, le président m'avait demandé pour quelle raison j'avais donné ma démission. Je lui ai répondu que j'étais trop sérieux pour demeurer membre de ce club et qu'ils n'étaient pas organisé pour mener à bien les nouvelles destinées et concernant les voyages en dehors du Québec, ils n'avaient pas les motos voulues sans que la police des autres provinces les colle sur le côté de la route et leur donne des contraventions. Alors, c'est pour toutes ces raisons que j'ai décidé de démissionner. C'était en 1966 vers le mois d'août, trois semaines après avoir quitté le club "Thunder Club". Bien que le président me souhaita quand même la bienvenue dans leur club, je décidai de me reposer. Je voyageais seul ou avec un ou deux autres motards indépendants, comme moi. Nous allions faire des tours soit à Ste-Thérèse ou à St-Jérôme, quelques fois à Ste-Agathe dans les Laurentides. Je suis aussi allé à Valleyfield et c'est quelques temps après que j'ai connu les "Black Ring Wat de Valleyfield". Nous étions toujours en 1966. J'allais quelques fois avec tout le club pour aller prendre des "rides" ou pour aller camper avec eux. Tout allait bien. Nous avions un club captivant. Le président qui se nommait Sam m'avait demandé si je voulais être membre. Je lui ai répondu "non" car je préférais vivre avec tous les clubs pacifiques et aussi voyager avec des motards indépendants qui ont toujours voyagé avec un ou deux. J'avais une raison, c'est pour cela que je décidais de demeurer indépendant: pour pouvoir connaître plus de motards ou de clubs. Alors, le président me comprit et me souhaita la bienvenue.

Je repartis pour aller connaître un autre club à St-Jérôme. Ils se nommaient **"les Donnez de St-Jérôme"**. Là aussi, c'était un milieu bien pour moi. J'ai connu le président et c'était un type guai et qui savait comment s'y prendre pour activer ses membres. Le président m'invita à leur local. Je participai à quelques "party" et les membres étaient des gens jeunes et accueillants. J'aimais partager ma vie avec eux. Après ça, je suis allé à Ste-Thérèse. Là, la plupart étaient indépendants. Le mot "club" pour eux, ça ne leur disait rien. Je me suis mis en contact avec eux. Nous étions en 1967. Je leur fis faire un premier voyage de longue distance, qui était à Chersey de Montcalm. Nous étions partis treize motos pour aller se baigner car il faisait beau. Pendant qu'on se baignait, un automobiliste fit comme nous. Mais lui, il avait une caisse de bière. Au fur et à mesure qu'il vidait une bouteille il la jetait sur la plage. Une heure et demie après, on fut cerné par des gens de la place qui nous demandaient de se retirer et de sortir de cette plage. Comme de raison, ils nous tenaient responsables des bouteilles de bière abandonnées malgré qu'aucun motard, cette journée-là, n'avait consommé de bière ou de boisson alcoolique. On leur disait que ce n'était pas nous qui avions fait ces choses-là. Ils ne voulaient rien entendre de nous. Il fallait donc quitter les lieux ou on risquait de se faire massacrer par le monde de là. Nous étions tous des pacifiques. Nous ne trainions pas de chaînes ou de couteaux. Notre devise c'était de régler nos différends par voies pacifiques. Alors vu que nous étions obligés d'accepter ces torts malgré que nous étions innocents, nous sommes retourner à Ste-Thérèse. En revisant l'incident qui s'était produit à Chersey de Montcalm la plupart voulait demander le concours du club des **"Donnez de St-Jérôme"** pour renforcer le milieu des motards de Ste-Thérèse. Nous avons élaboré un plan en agissant comme des pacifiques. Le but de ce "meeting" était de retourner sur la plage où nous avions été chassé pour que ceux qui voulaient se baigner ait droit à ce sport et les autres pour se reposer sans interdire l'accès aux automobilistes qui voulaient utiliser cette plage. C'était un endroit public et tout le monde y avait droit d'accès. Nous étions décidés à avoir des explications avec les personnes qui nous avaient expulsés sans raison valable. Nous avons consenti à régler nos affaires pacifiquement. Mais pour quelques-uns, ils parlaient de violence, comme de faire une descente dans ce club et de tout démolir sans explications pour se venger de ceux qui nous avaient expulsé de la plage. Les pacifiques ont demandé un vote et ça été accepté par tous les motards. 60% ont été contre la violence et 40% pour la violence. Une fois le "meeting" terminé, les non violents ont décidé de ne pas monter pour aller manifester pacifiquement et tous ont abandonné le projet car ça aurait pu se généraliser en violence.

Quelques temps après les motards de Ste-Thérèse ont voulu partir un club et ils m'ont demandé que je sois leur président. J'ai refusé en leur soulignant que je voulais connaître d'autres clubs au Québec et demeurer ami avec tous les motards que je connaissais présentement. J'ai laissé ce club pour aller connaître un autre club qui se trouvait à St-Jérôme. Le rendez-vous se trouvait dans un parc face à une église. C'est là que je rencontrai les premiers motards qui faisaient partie des **"Donnez de St-Jérôme"**. Les gens étaient très amicaux et je voyais tout de suite que c'étaient des pacifiques. Quelques temps après, j'ai connu le président des **"Donnez"**. La même soirée, j'étais invité avec les membres à aller visiter leur local qui se trouvait à l'extrémité ouest de St-Jérôme. Je passai la soirée avec eux. Ils m'avaient offert de prendre de la bière mais je leur ai répondu que je ne buvais pas. Alors ils m'ont donné de la liqueur, tout en discutant avec les membres. Ce que j'aimais beaucoup des clubs pacifiques, c'est que, quand le soir arrivait, ils faisaient un feu de camp et il y avait de la danse. Les autres discutaient entre eux et tout était formidable. Je quittai le club des **"Donnez"** pour reprendre mon travail. Eux, ils me souhaitèrent la bienvenue.

La fin de semaine suivante, je retournai à Valleyfield pour aller visiter à nouveau les **"Black Ring Wat de Valleyfield"**. Chaque fois qu'ils me voyaient, ils étaient fiers de me revoir. Cette fin de semaine-là, ils organisèrent un grand "party". Ils sont allés voir un cultivateur pour louer une grange abnadonnée afin d'en faire une salle de danse et louer un grand terrain pour que tous les motards puissent camper. C'était une fête qui était organisée pour une durée de 48 heures avec toutes sortes d'activités pour distraire les motards qui venaient d'un peu partout. Les "Blacks" s'étaient divisés pour parcourir le sud et d'autres le nord. Nous avions trois semaines et moi-même, j'avais participé pour avertir tous les clubs ou motards indépendants car tous les motards étaient invités. C'était une grande fête qu'ils souhaitaient réaliser et ils voulaient la faire en même temps que les "Regates de Valleyfield". Moi, je suis allé annoncer la nouvelle à Ste-Thérèse, à St-Jérôme, à St-Eustache et à Deux Montagnes. Pour finir, j'ai alerté Joliette et Charlemagne. Nous avons fixé la date du départ qui était sur la rue St-André. La police de Montréal avait apporté sa contribution et je dois les féliciter pour le dérangement qu'ils se sont donné pour nous. À la date prévue, nous attendions les clubs de motards et les indépendants. Le départ était à dix heures du matin. Le ciel était beau, nous étions au milieu de juillet. Mais à ma grande surprise, huit motos se sont présentés, seulement des indépendants, pas de clubs de l'extérieur. Alors, nous sommes partis avec une escorte de la police de Montréal jusqu'au boul. Métropolitain et nous avons pris la 401 pour se diriger vers Valleyfield. Une fois arrivés au local des "Blacks", je présentai ces motards au président et je me mis à l'oeuvre pour les derniers préparatifs. Pour ceux qui ne buvaient pas de bière, j'allai chercher du "pepsi" et du "coke". Je transportai quatre caisses de 24 bouteilles sur ma moto et de temps en temps, je transportais d'autres motards qui ne pouvaient pas utiliser leur moto parce qu'elle était accidentée ou défectueuse. Vers la fin de l'après-midi, je transportai trois musiciens de l'orchestre de Valleyfield à Ste-Barbe en une seule fois. Nous étions quatre sur la même moto. Une fois arrivés sur les lieux, les motards qui étaient témoins du transport applaudissaient la manière que j'avais fait ça. Durant l'après-midi, dans le centre-ville de Valleyfield, les motards venaient de plus en plus nombreux et parquaient leur moto en file indienne sur la rue Victoria. Vers la fin de l'après-midi, tous les motards se mirent en branle. Il y avait 75 motos qui partirent du centre-Ville pour se diriger vers Ste-Barbe où les fêtes devaient commencer. Nous étions au début de la soirée. 150 motos et dix voitures se chargeaient de déplacer ceux qui n'avaient pas leur moto. Vers huit heures et quart, nous apercevions d'autres clubs qui venaient de Granby, de Sorel, de Drummondville, de Québec et de Lévis. La chose qui m'a beaucoup émerveillé, c'est de voir venir ces motos-là. Ils étaient au nombre de 200 à 225 qui venaient tous de la partie sud du Québec. De la Rive Nord, le seul club était les **"Gorilles de Laval"**, les autres étaient des motards indépendants de Montréal. Nous avons eu la visite des **"Popeyes"** de Montréal. Ils étaient deux motos et quatre **"popeyes"**. Nous les avons acceptés mais sous condition qu'ils ne fassent

pas de troubles et ils ont donné leur parole.
Les activités commençaient avec deux grands
feu de camp, suivis de l'orchestre qui se mit en
branle. Tout allait bien et sans trouble. Les
motards s'amusaient comme des êtres heureux.
Si jamais il se produisait quelques incidents, les
"Blacks Rings Wat" avaient des hommes pour
veiller à ce que tout aille bien.

Vers les deux heures du matin, la plupart
commençaient à être fatigués. Ils avaient dressé
leur tente et pour ceux qui n'avaient pas leur
tente, le plafond de leur tente était le ciel illu-
miné d'étoiles. Moi-même, j'ai couché avec ce
plafond d'étoiles car je n'avais pas de tente.
J'ai dormi tout près de ma moto comme plusieurs le faisaient. J'ai été placé parmi le club des
"Gorilles" qui, pour moi, est le plus beau club
du Québec.

Le lendemain dans l'après-midi, tous les
motards qui voulaient courser avaient le terrain
pour ça. Ceux qui ne voulaient pas risquer leur
moto observaient la course. Au début de l'après-
midi, l'orchestre se mit en branle à nouveau.
Ceux qui aimaient la danse se mettaient à danser
et d'autres allaient se baigner car la température
variait entre 75 à 80 degrés.

Moi, j'ai quitté dans l'après-midi. J'ai pris la
route pour me diriger vers Ste-Thérèse. Quand je
roulais à 65 milles à l'heure, les yeux me fer-
maient. Mon passager se rendait compte de ça.
Quand je prenais une courbe, il me donnait une

"tappe" sur l'épaule pour que je reprenne le chemin. Et plus je ralentissais, plus je dormais. En dernier, je roulais trente mille à l'heure sur la route du Nord. Après avoir mis mon 25¢ au poste de péage, je me collai aux abords de l'autoroute en disant à mon passager que je n'en pouvais plus. Je voulais dormir quelques temps car je sentais que je ne pouvais plus continuer et que je m'exposais à de graves ennuis si je continuais à rouler les yeux fermés. Une fois étendu ça ne m'a même pas pris une minute, j'étais rendu dans le paradis des rêves. Cinq minutes après, la police de l'autoroute me réveillait pour me demander si ma moto était défectueuse. Je lui ai répondu que c'était le chauffeur de la moto qui était mort de fatigue. Alors la police nous a laissé le privilège de dormir. Une heure et demie après, mon passager me réveillait en sursaut pour me dire que le feu était pris autour de nous. Je lui ai dit que je ne voyais rien de cela et qu'il devait rêver à ça. Alors comme nous étions réveillés, nous avons repris la route. Une fois arrivés à Ste-Thérèse, nous avons parlé de ça à la mère de ce passager, de ce fameux "party" inoubliable! Ça été un succès! Je tiens à remercier tous les clubs soit: les **"Gorilles de Laval"**, les quatre motards du club des **"Popeyes"** de Montréal, les **"Rebels"** de Québec, les **"Mongols"** de Drummondville, les **"Jondonneurs"** de Sorel, les **"Québécois"** de Granby et tous les motards indépendants qui ont pu participer à cette fête qui avait été organisée par tous les clubs et tous les motards indépendants du Québec. Il ne faut pas oublier d'autres clubs de l'Ontario et de l'État de New-York qui sont venus apporter leur concours sur l'invitation du club de Québec. Il ne faut pas oublier non plus la **"Clé Majeur"** qui a contribué à ce succès et que tous les clubs doivent remercier pour leur dévouement (c'est l'orchestre). Et pour terminer, les **"Black and White"** qui sont les organisateurs et les responsables de cette fête. Également, le cultivateur de Ste-Barbe qui a consenti à louer ses bâtiments et ses terres. Je tiens à remercier Ste-Barbe qui nous a très bien acceuillis et qui nous a bien servis.

Moi, je repris le chemin vers Montréal. Quelques temps après, j'ai eu une mauvaise nouvelle par les **"Cobra Chapitre II"** qui me demandaient d'aller à l'enterrement d'un motard qui s'était tué et qui était membre du club des **"Archanges"** de Montréal-Nord. J'acceptai cette invitation. Je suis allé rejoindre les **"Cobra Chapitre II"** et une fois tous réunis, nous sommes partis vers Deux-Montagnes. Arrivés sur les lieux, nous sommes partis au salon mortuaire avec le corbillard. Avec les restes de sa moto, ils ont fait une couronne avec sa roue accidentée. Ses parents suivaient le cortège suivi des **"Archanges"**, des **"Gorilles"**, des **"Cobra Chapitre II"**, des **"Damnés de St-Jérôme"**, et des **"Loups de Ste-Rose de Laval"**. Il y en avait de Ste-Thérèse et de St-Eustache. D'autres motards indépendants venaient rendre un dernier hommage à leur confrère motard qui était décédé à la suite d'un accident de la route. Une fois le cortège arrivé devant l'église, tous les motards sont allés garer leur moto sur le "parking" de l'église. Une fois descendus de leur moto, les motards se sont dirigés vers le perron de l'église pour former un double cordon   partant du perron de l'église jusqu'aux abords de la route. Une fois les motards en ligne, les porteurs, qui se trouvaient au nombre de six, ont transporté la tombe au centre des deux lignées que les motards formaient, suivi des parents, des **"Archanges"** et de tous les autres clubs. Le service s'est déroulé dans un calme absolu et aucun incident ne s'est produit. Une fois le service terminé, le cercueil sortait le premier, suivi des parents et des motards qui eux, se dirigeaient vers leur moto. Le cortège se mit en marche une dernière fois pour inhumer le corps du défunt. Une fois arrivés au cimetière et une fois le cercueil placé au-dessus de la fosse, tous les motards ont arrêté leur moteur pour rendre un dernier hommage à leur confrère. Le vicaire fit une dernière prière et une fois le cercueil descendu dans sa fosse, ils ont placé la roue de sa moto qui était remplie de fleurs. Une fois le dernier hommage rendu, les motards se mirent en marche avec l'escorte des policiers de Deux-Montagnes. Dans le village, nous roulions quarante à cinquante milles à l'heure. Toutes les rues transversales étaient bloquées par les policiers de Deux-Montagnes. Une fois sur la grand-route, les 250 motards roulaient à destination de Ste-Rose de Laval à une vitesse de 70 à 75 milles à l'heure. Une fois arrivés au local, nous avons serré la main à tous les **"Archanges"** pour leur exprimer nos sympathies pour leur confrère décédé. Une fois dans le

local des "**Loups**", je me suis rendu compte
que la plupart étaient "cassés". Alors j'ai sorti
$10 pour le donner au président des "**Loups**"
et je ne suis pas resté longtemps dans le local car
je voulais rencontrer l'ami intime du motard
défunt. Moi, mon but était de remonter le moral
du malheureux car il pleurait son ami. Moi, vu
que je suis très sensible, je lui ai dit que moi aussi j'avais perdu un ami cher, mais on le sait, un
jour ou l'autre, on va tous y passer. Il faut oublier malgré que c'est dur." Des bons amis, il y
en a encore. Alors fais comme moi, reprends la
vie du bon côté et je suis sûr que tout va redevenir normal, ça sera un nouveau départ". Je
lui ai demandé d'arrêter de pleurer pour son
ami défunt et d'aller revoir ses amis dans le local
qui ont du plaisir et d'aller partager ses amitiés.
Alors je suis rentré pour aller saluer tous les
motards et je suis reparti.

Une autre saison se terminait pour tous les
motards en 1967. Je me refis un nouveau programme. Mon but était de continuer à aller visiter des clubs de motards et partager mes deux
autres années avec tous les clubs qui le voulaient
bien. Je suis allé fouiller du côté de Sorel pour
mieux connaître les "**Sun Donners**". J'ai connu
définitivement leur président. C'était un type
très bien qui aimait connaître d'autres motards
indépendants. Dans la même fin de semaine,
je suis allé à leur local qui était situé sur la route
No. 3 entre Tracy et Contrecoeur. Comme local,
ils avaient loué une couple de chalets et assez
grand de terrain. Cette même fin de semaine,

ils ont organisé un "party". Il y avait pour tous de la bière, de la musique et des feux de camp. Quelques-uns d'entre eux partaient sans moto pour se dégourdir un peu les membres. J'ai bien aimé la fin de semaine que j'ai passée avec eux.

Je suis reparti pour aller à Joliette et à St-Jean-D'Iberville pour aller visiter des motards indépendants. J'avais prédit que la plupart des clubs de motards disparaîtraient pour redevenir des motards indépendants. Certains villages ou certaines municipalités se revireront contre tous les clubs de motards du Québec simplement parce que certains clubs insouciants font une mauvaise réputation et ceux qui n'ont jamais fait de mal à personne paient pour ça. Ce que j'avais décrit concernant les motards indépendants est devenu une réalité. Et pour finir, certains automobilistes se sont rangés contre nous. Je vais vous citer une preuve. Un soir sur semaine, je suis reparti de Montréal pour me diriger vers St-Jérôme en prenant l'autoroute des Laurentides. Tout à coup, un Chrysler 1965 me dépassa à 80 milles à l'heure et un moment donné je me suis rendu compte que l'automobiliste que je ne connaissais pas, me faisait modérer à une vitesse de 40 milles à l'heure. Je me trouvais seul derrière lui. Quand je changeai de travée pour reprendre de la vitesse, il jouait de la première travée à la troisième travée. Il m'avait à sa merci et c'était un plaisir pour lui. Vu que je n'étais pas capable d'avoir le dessus sur lui, je suis resté à la vitesse qu'il m'obligeait à suivre, qui était 40 milles à l'heure. Il me tint jusqu'à

St-Jérôme et une fois sorti de l'autoroute, le Chrysler se mit à accélérer à une grande vitesse. Une fois à St-Jérôme, j'allai voir quelques-uns des **"Damnés"** qui m'invitaient à aller passer la soirée à leur local, mais sans leur faire part de l'incident qui s'était produit avec l'automobiliste que je ne connaissais pas.

Je suis revenu à Montréal et une autre fin de semaine, je suis parti seul pour me changer les idées. Je suis allé aux États-Unis pour passer une fin de semaine à Burlington. Une fois reposé, je préparai un autre voyage qui était le tour de la Gaspésie. Je suis parti seul mais le bon Dieu m'a permis de rencontrer un autre motard qui lui, demeurait dans la vallée de Matapédia. Il m'avait dit qu'il demeurait là. Alors nous sommes devenus compagnons. Une fois en route, nous sommes arrêtés à Lévis. Je téléphonai à ma mère pour savoir si tout allait bien. Elle m'a répondu que oui et elle m'a demandé ce que je faisais dans le bout de Lévis. Je lui ai répondu que j'allais faire le tour de la Gaspésie. Alors elle m'a demandé où je passerais la nuit. Je lui ai répondu à Rivière du Loup. Elle m'a répondu que c'était à 115 milles de Québec. Je lui ai répondu que pour moi, la distance ne me dérangeait pas car j'étais en vacances et je n'étais pas pressé pour rouler. Une fois la conversation terminée, nous avons repris la route. Il était six heures trente. Arrivés à Rivière du Loup, nous sommes allés au poste de police et nous avons été bien reçu par les forces policières de cette municipalité. Ils nous ont indiqué un endroit pour aller passer la nuit, dans un hôtel. Une fois à l'hôtel, nous avons eu une place pour coucher. Nous étions quatre passagers: deux sur le B.S.A. 650 et deux sur le B.M.W. R695. Le lendemain, après le déjeuner, nous ne sommes pas repartis car la ville me frappait beaucoup. C'est rare de voir une ville bâtie en pente de 40 degrés. Je veux dire que la ville de Rivière du Loup est bâtie sur une côte qui a une pente assez élevée. C'est pour cela que j'ai décidé de visiter cette ville. Une fois que j'ai vu ce que je voulais, nous sommes repartis pour nous diriger à Rimouski. Arrivés dans cette municipalité, j'avais décidé de ne pas arrêter car je n'aimais pas cette ville. Le paysage, pour moi, était plutôt ennuyant. Alors une fois sortis de cette ville, nous avons fait route vers Mont-Joli. Comme cette municipalité était moins triste que Rimouski, nous avons dîner là. Les gens étaient bien accueillants mais une fois le dîner fini, nous sommes repartis vers la vallée de Matapédia pour y passer la nuit car le motard qui avait le B.S.A. habitait là avec ses parents. J'avais remarqué une fois le soleil couché que la fraîcheur venait très vite. Vu que je n'étais pas habitué à une baisse de température, il a fallu m'isoler pour la nuit dans une maison d'un des compagnons du père de mon ami. Le lendemain, je rebroussai chemin pour revenir à Montréal et j'avais remercié le type du B.S.A. et sa famille qui nous avait si bien accueilli et je suis reparti. Une fois à Montréal, alors que la saison froide commençait à se faire sentir, je ne me servais de ma moto que pour aller travailler et durant mes loisirs,

je me tenais à Vimont ou Ste-Thérèse et Rose-
mère ou Bois des Filions. Je me tenais avec les
motards indépendants des municipalités que j'ai
mentionnées. Une fois ma moto serrée, la plus
grande remarque que j'ai pu constater au sujet
des motards est que la plupart ne se reconnaissent plus (sauf les groupes de motards qui se
tiennent en groupes à l'année longue). Moi-
même, je n'étais pas plus avancé. Je pouvais
reconnaître ceux qui voyageaient souvent avec
moi ou ceux qui m'avaient secondé dans des
voyages que nous organisions pour le programme
de l'été.

Je préparai de nouveaux programmes pour
1969 et 1970. Quand le printemps revenait, je
faisais faire une vérification de ma moto. Mais
je me suis aperçu que des spécialistes des
B.M.W., ils sont rares! Alors, il m'a fallu étudier la
mécanique moi-même. Je ne peux pas recondition-
ner mon B.M.W. à 100 pour cent mais je peux
vous le garantir à 50 à 55% car à chaque année,
je reste en contact avec certains mécaniciens
qui sont indépendants des dépositaires. Je
prends des renseignements sur tout le recondi-
tionnement des pièces importantes. Quand c'est
un ouvrage général, je prends le dépositaire qui
pourrait le mieux me garantir un travail compé-
tent. Mais il est malheureux de vous dire que
pour les B.M.W., je n'ai pas vu des experts car
à chaque fois que j'ai soumis ma moto, j'ai toujours eu des troubles.

Je suis allé pour la première fois aux vingt-quatre heures à la Tuque. La journée était belle. Je me trouvais avec mon frère et ma mère à Trois-Rivières, sur la rue Provencher. Je suis parti pour la journée avec mon frère. Arrivés à la Tuque, je suis allé encourager les nageurs. Une chose qui m'a surpris, c'est quand je suis allé prendre un pepsi-cola et un hot-dog qui m'ont coûté 85¢, je ne trouvais pas ça croyable, mais c'est vrai. Je suis reparti dans la même journée pour revenir à Trois-Rivières. Le dimanche matin, je suis reparti avec mon frère pour lui faire visiter la Rive Sud. Il a bien aimé ça et une fois la journée terminée, je suis revenu à Trois-Rivières pour terminer ma fin de semaine.

Une fois de retour à Montréal, quelques temps après, je suis retourné à Trois-Rivières. Cette fois ci, c'était pour connaître le milieu des clubs. Le premier club était celui des "Popeyes" de Trois-Rivières qui se trouve affilié avec les "Popeyes" de Montréal. Le président de ce club avec ses membres m'avait invité à aller passer la soirée avec eux. Alors j'ai accepté cette invitation. Je suis retourné chez ma cousine pour aller souper et une fois le souper terminé, je suis reparti avec mon frère pour me diriger au local des "Popeyes" de Trois-Rivières. Je présentai mon frère au président, au vice-président et aux membres. Vu que moi et mon frère nous ne buvions pas, le président m'offrit de la liqueur car dans la plupart des clubs de motards, on boit beaucoup de bière. Je ne suis pas inquiet pour la faillite des brasseries. Nous avons des motards qui ont un contrôle et d'autres qui n'ont pas de contrôle et ces malheureux qui ne sont pas capables de se contrôler quittent leur local pour aller faire du bruit dans le village ou dans la ville et c'est là que les troubles se font sentir. Parfois, le président qui tient à ses membres, doit aller résoudre les problèmes.

Mais revenons à la soirée d'invitation pour moi et mon frère. Tout allait bien avec les **"Popeyes"**. Il y avait de la danse pour ceux qui aiment danser et pour ceux qui ne voulaient pas danser, ils écoutaient de la musique tout en suivant le rythme de leurs confrères motards qui dansaient. Vers les neuf heures trente p.m., je m'excusai auprès du président et je remontai avec mon frère car il était jeune encore. Il n'avait pas l'âge des adultes. Le président me répondit: *"quand tu voudras venir nous voir tu es le bienvenu"*. Je l'ai remercié en lui affirmant que lorsque j'aurais du temps de libre, ça me ferait plaisir de revenir. Après çà, le lendemain j'allai me promener dans Trois-Rivières et au Cap-de-la-Madeleine. Moi, j'aimais cette ville et de temps en temps, je parlais avec des motards indépendants qui aimaient me connaître. Mais une chose dont ils parlaient souvent avec moi, c'est de ma moto B.M.W. car bien des motards voulaient en connaître plus long sur cette moto. Ceux qui la connaissaient me répondaient: *"vous avez vraiment choisi la moto de route"*. Moi je leur disais que j'étais satisfait pour le rendement et pour les voyages. Je suis reparti de Trois-Rivières pour aller voyager. ailleurs comme Granby. La plupart des motards de là étaient des motards accueuillants, même le club des "Québécois". Pour des "party" je n'ai pas eu d'invitation, mais ça ne me dérangeait pas trop car j'étais pas mal habitué à leurs "partys", ou fêtes si vous voulez. Mais ce que j'aimais d'eux, c'était d'avoir des rapprochements et mieux connaître leurs milieux. Ils étaient des gens pacifiques et je n'ai jamais eu de malentendu ni aucun trouble avec aucun club que j'ai mentionné jusqu'à présent. J'aime tous les motards et une chose que j'admire chez nos motard, c'est que lorsqu'on se croise sur la route on se salue mais de deux manières différentes. Nous avons des motards qui font un salut avec deux doigts, nous soulignant: "gardons la paix" et d'autres avec les cinq doigts. Mais pour moi, peu importe pourvu qu'on se respecte et qu'on s'aide car le mot "aide" pour nous veut dire que si nous voyons un motard en difficulté, on s'arrête pour voir s'il a besoin d'un service. Il y a un soutien entre motards et c'est pour cela que j'ai décidé de continuer à voyager sur une moto. Comme la plupart des motards me connaissent, ils m'ont donné comme surnom "monsieur B.M.W." car ils savent que ça fait plusieurs années que je roule avec cette marque et je suis fier de ce surnom.

Je suis retourné à Trois-Rivières pour aller visiter une ville qui célèbre à chaque année une fête Western. Le nom de cette municipalité est St-Tite. Je suis allé visité, moi et mon frère, cette petite municipalité et le policier de là était quelqu'un de bien. Je lui ai fait part que je travaillais pour la ville de Montréal et que j'étais en vacances. C'est là que le policier tout en causant m'a fait connaître ces activités qu'ils appelaient **"le Festival Western"**. Ça toujours été une chose que j'ai souhaitée car j'aime beaucoup le style **western** et je lui ai garanti que lorsque la fête commencerait, je serais avec tous ceux qui aiment ces activités. Une fois les fêtes commencées, je suis parti avec ma mère, mon frère et ma cousine, mais pas avec ma moto mais la voiture de ma mère. Une fois arrivés sur les lieux, nous avons gardé notre voiture en dehors de ce village. Il fallait entrer à pied. Mais ça en valait la peine car une fois entré, les premières constatations qu'on pouvait voir était des monsieurs habillés en "cow-boy" qui se promenaient à cheval. Les décors étaient merveilleux. Vous juriez être dans le temps de la colonie. Il y avait des rodéos, de la musique de folklore et j'aimais l'ambiance et la mentalité de cette municipalité. Cette population aimait les visiteurs et aimait à leur garantir un bon séjour tout le temps qu'ils vivaient et s'amusaient avec eux. Cette journée-là, nous étions 58,000 visiteurs. Je peux vous garantir que ce fut un succès. Ceux qui voulaient visiter cette municipalité pouvaient soit louer un cheval ou se promener en "wagons" aménagés spécialement pour les visiteurs qui ne pouvaient pas prendre de longues marches.

Moi, j'ai quitté cette municipalité pour aller voir d'autres activités que je préparais comme à "Shawinigan". Eux aussi avaient une fête mais cette année-là, il y avait eu de la gâcherie et c'était malheureux d'apprendre que des motards avaient été mêlés à ces troubles. Alors, je suis reparti vers Trois-Rivières. Cette fois-ci, pour aller voir d'autres fêtes comme à l'île St-Cantin. Même les motards avaient préparé leur fête dans l'île. Tout allait bien et moi aussi j'étais en fête avec les motards et tout se déroulait bien. Ce soir-là, aucun incident ne s'était manifesté parmi les motards et les visiteurs automobilistes. Les deux milieux fêtaient à leur manière et tout le monde était heureux car aucun incident n'a été enregistré ce soir-là. Plus tard dans la nuit, je quittai les motards qui continuaient à fêter car j'étais fatigué et il était tant que je me couche. Il était une heure trente du matin. Une fois à la maison, ma mère me rejoint pour me caresser car l'affection d'une mère ne connait pas d'âge et tant qu'il vit, tout être humain a besoin de sa "maman poule" comme certaines personnes disent.

Une fois cette fête terminée, je suis reparti vers Montréal. Nous étions à la fin des belles températures qui filaient vite pour faire place à des temps pluvieux et froids. Je remisai ma moto qui commençait à prendre de l'âge. J'avais roulé 33,000 milles et j'avais quatre années de faites avec cette B.M.W.—R695 qui avait fait beaucoup de grands parcours d'une province à l'autre ou d'un état à l'autre. Durant cette année-là, j'allai visiter des amis que je connaissais à la taverne. Depuis trois années ou plus, je me tiens là en parlant et en buvant du coke. Mais j'étais seul. Je me refis un ami que j'avais connu là.

Dans mon temps, il avait 38 ans et c'était un type tranquille. Le même soir, je lui ai demandé de venir chez moi et lui ai dit que j'avais une moto et que je l'avais garée sur la rue Ste-Catherine. Il m'a répondu que ça ne le dérangeait pas. Il était neuf heures trente du soir. Une fois sortis de la taverne, à ma grande surprise, il neigeait beaucoup mais la neige fondait sur le pavé. Je lui ai demandé s'il avait déjà embarqué sur une moto. Il m'a répondu que non. Je lui ai répondu qu'il avait juste à suivre mon "ballant" et tout irait bien. Nous sommes partis et une fois chez moi, on s'est mieux connu dans nos conversations. Quelques jours passèrent et tout allait bien. C'était un type honnête et sympathique et surtout très timide, comme moi. Deux mois plus tard, je lui demandai s'il était intéressé à faire des sorties en moto. Et si tout allait bien, nous continuerions à voyager par-ci et par-là. L'année 1971 a été l'année où j'ai fait mes déplacements de plus en plus loin. Une fois le printemps revenu, j'ai sorti ma vieille B.M.W. qui marchait bien car j'avais fait poser deux pneus neufs avec chambres à air neuves, bandes de "brakes" neuves, "clutch" neuve, huile et bougies. Ça m'avait coûté $269! Une fois en route, j'allai avec André à Oka chez sa parenté. La plupart des parents de la famille était pour moi des gens sympathiques. J'allais souvent à Oka et quelques fois à Iberville ou St-Jean, la ville voisine qui se trouvait séparée par le Richelieu. J'aimais la mentalité des gens et surtout des motards. Vers la fin de juin, je suis reparti avec André pour aller revoir sa parenté qu'il aimait beaucoup et qui était toujours au même endroit à Oka. La journée était belle, il faisait 80° et il était entre midi et une heure. Une fois arrivés au coin des rues Everett et Papineau, un terrible accident survint. Moi, je perdis connaissance et où je me trouvais, je n'en savais pas plus que tout être humain qui est sur un choc. J'admets que j'étais responsable de l'accident car une fois arrivé derrière un Buick, je dépassai cette voiture sans regarder si ses "flashers" clignotaient. Je passai de l'autre côté de la ligne double et une fois arrivé du côté du chauffeur, il fit un virage à gauche. Je fus accroché par son "bumper" et je partis sur un "skid" jusqu'à l'arrêt d'autobus en me fracturant la tête et le côté gauche du corps. Je m'arrêtai un pied avant de toucher la chaîne du trottoir. Ça aurait signé mon arrêt de mort si ma tête s'y était fracassée car je n'avais pas mis mon casque protecteur. Je relevai ma moto et une fois les policiers arrivés sur les lieux, je ne voulais pas me rendre à l'hôpital car je ne voulais pas quitter ma moto. Alors la police m'arracha de ma moto pour m'embarquer en ambulance. Je perdis connaissance à nouveau pour me réveiller à l'hôpital de ville St-Michel. Une fois à l'hôpital, je repris connaissance mais c'est mon passager qui tombait, à son tour sans connaissance. Alors, pour moi et pour lui, ce n'était pas drôle.

Une fois soignés, le docteur nous donna notre "OK", moi, et mon ami. Il était quinze heures trente. J'ai repris l'autobus, mais une fois arrivés sur les lieux de l'accident, une voiture de la police était garée devant ma moto. Alors, j'ai repris ma moto pour repartir avec. La police sortit en me disant: *"votre moto s'en va à la fourrière municipale.* Je lui ai répondu: *"c'est malheureux, cette moto monte chez moi et non pas à la fourrière".* Alors, j'étais fâché en lui disant que ce n'était pas une moto volée et que j'étais pour poursuivre la ville si jamais ils enlevaient ma moto sans preuves valables. Alors la police communiqua avec le poste avec qui il était attaché et le central lui confirma que j'étais apte à conduire ma moto. C'est là que la police avant de me laisser, me répondit que si on voulait envoyer ma moto à la fourrière, c'était pour ma protection. Je lui ai répondu merci car il m'aurait fallu débourser $15 pour avoir ma moto sans parler des dommages que la plupart des "towings" de la ville font en prenant plaisir à bousculer et briser la moto des particuliers. Moi-même, j'ai eu cette malchance la fois que les "towings" de la ville ont remorqué ma moto. Les messieurs qui travaillent sur ces engins-là ne doivent certainement pas aimer les motards. Mais, messieurs qui avez la responsabilité de remorquer soit les motos ou les voitures, aimeriez-vous ça si on bousculait votre propre voiture en lui faisant subir le même sort que vous infliger aux motos que vous charriez à la fourrière? Je ne le crois pas. Plusieurs motards se sont plaints à moi me disant que chaque fois que les "towings" de la ville remorquaient la moto d'un particulier, elle était soit grafignée ou brisée. Une chose que je demande à tous les employés de la ville qui ont cette responsabilité, c'est de veiller à avoir plus de responsabilités envers les véhicules des particuliers qu'ils remorquent, et aussi pour les motos. La ville de Montréal les paie assez cher pour qu'ils puissent faire un travail propre. Moi-même qui travaille à la ville, que je ne "pince" pas un de ces messieurs qui prend plaisir à endommager les motos car je prendrai le numéro du "towing" et l'heure à laquelle ça se sera produit, tout en notant le numéro de licence de la moto, le jour et la date. Une fois le propriétaire de la moto retracé, je m'offrirai pour aller témoigner contre la ville des dommages qui auront été faits à la moto. Alors, soyez prudents car vous finirez par commettre une erreur qui pourrait vous coûter la porte si jamais il est prouvé que les responsables des "towing" de la ville de Montréal prennent plaisir à endommager la propriété des particuliers. Merci pour ceux qui ont du respect envers leurs semblables et qui n'ont rien à se reprocher s'ils font un travail propre. Une autre chose que je tiens à vous dire, si je fais cette remarque là, ce n'est pas pour protéger les motards. Même si j'en suis un, je n'ai pas honte de posséder une moto. Je sais que certaines personnes n'aiment pas les motards et prennent plaisir à s'attaquer à 100% aux motards. Mais vous finirez par être puni pour la haine que vous avez envers ceux qui se promènent sur deux roues avec un moteur fixé sur le "frame" et que vous baptisez les "nuisances de la route". Cherchez donc aussi à voir certains automobilistes qui n'ont pas de respect envers d'autres automobilistes et vous verrez qu'il y a des fous et des dangereux des deux côtés. Je veux dire clairement qu'il y a des motards nuisibles et des automobilistes nuisibles aussi. Cherchez la justice et vous verrez qu'il y aura moins de mort sur la route comme il s'en produit présentement. Pour quelle raison? Mais c'est facile: car certains automobilistes ont décidé de faire une guerre sans merci aux motards qui circulent sur nos routes et de punir les bons et les méchants au lieu de s'en prendre aux nuisances de la route.

Je reviens à moi. Une fois le "OK" de la police, j'ai remis ma moto en marche, et il s'est produit un court-circuit dans le "spot". Il y avait quatre ou cinq fils brûlés. Alors j'ai changé les fils qui étaient hors d'usage et une fois le travail complété, j'ai remis ma moto en marche. Elle a bien démarré. Je me suis remis en route pour retourner chez moi, mais pas vite afin d'être sûr de pouvoir arriver. Chez-moi, tout ce qui était endommagé par l'accident, je l'ai "démanché" en pièces. Mon moteur et mon "frame" n'avaient rien ni ma fourche ni les roues; seul le "spot" et les lumières clignotantes. Le lendemain, je fis le tour des dépositaires qui avaient des B.M.W. pour avoir un "spot" neuf mais aucun dépositaire n'en avait en stock. Alors vu qu'il fallait que dans trois jours, je monte visiter ma mère, avant d'entreprendre le long trajet vers l'ouest, comme ma moto n'était pas en état de marche pour rouler le soir ou la nuit, j'ai décidé de m'acheter un autre B.M.W. J'étais satisfait de ma première moto B.M.W.—R695, alors je me suis acheté un autre B.M.W. mais plus forte que la première. C'était un B.M.W. 750cc qui m'a coûté avec échange $1854. Il valait au total $2500. Pour l'achat, c'était bien mais pour le service, j'ai eu beaucoup de difficultés car j'avais fait poser un système antivol et deux jours après, le filage passait au "grille". J'ai été quinze jours sans le revoir et une fois recondi-tionné à neuf, je pris la route avec André pour aller faire mon premier long voyage de l'an-née avec mon B.M.W. Tout le long du tra-jet, tout s'est bien passé. Je roulais 50 à 55 milles à l'heure pour bien le roder. Une fois à l'Ancienne Lorette, je présentai André à ma mère et elle nous fit rentrer chez elle, qui était chez moi. Dans la même journée, André tomba malade. Alors ma mère le soigna et lui fit pren-dre du mieux. Je suis allé coucher dans un motel de l'Ancienne Lorette et le lendemain matin, j'allai à St-Pascal. Dans l'après-midi, je suis allé voir des amis d'André, à Lévis. Le lendemain, nous sommes allés moi et André, visiter le vieux Québec et un ancien ami qui avait été membre et vice président du club "Thunder Club" et qui restait encore sur la rue Lavigueur. Sa mère et son père m'on reçu comme si j'étais leur propre fils et ça m'a fait chaud au coeur. Je me sentais à mon aise malgré que ça faisait plus de deux ans que je n'avais pas visiter la famille Pelletier. Une fois notre tournée terminée, le lendemain avant mon départ, ma mère était supposée venir me visiter avant mon départ. Il était onze heures et pas de mère! Alors c'est moi et mon ami qui sommes partis à sa recher-che. Comme résultat, elle était invisible cette journée-là. Mon oncle Georges n'était pas au courant de l'endroit où elle était partie. Je lui ai dit que si jamais il voyait ma mère, qu'il lui dise que j'étais parti vers Montréal. Je me suis mis en route avec une déception parce que j'aurais aimé embrasser ma "maman poule". Mais elle était introuvable.

À Montréal, je me suis reposé pour entreprendre le plus long voyage jamais entrepris en bicycle à gazoline. Comme première étape, c'était l'Ontario. Nous sommes partis en allant visiter la mère d'André qui demeurait sur la rue Plessis et nous sommes repartis vers la 401 pour se rendre en Ontario. La journée était belle. Après quelques heures de roulement, j'ai perdu mon paquet de cigarettes. Je sortis à 80 milles à l'heure de la route et une fois touché la gravelle, je perdis le contrôle mais ce fut un miracle pour moi et André car je labourai le bord de la route avec ma moto et je tournai bout pour bout. Ça fit une poussière comme si ma moto avait explosée mais, Dieu soit loué, aucune blessure et même aucun dommage à ma moto, sauf que mes dessus de cylindres étaient pleins de gravelles. Alors j'ai demandé à André si tout allait bien. Un automobiliste c'était arrêté pour voir si on n'était pas blessé. Je remercie ce bon samaritain qui avait vu de près cet arrêt brusque. Lui-même était surpris de voir que nous nous étions fait aucune blessure. Alors une fois terminé, l'automobiliste reprit la route. Moi, il fallait que j'aille chercher mon paquet de cigarettes qui se trouvait à 2,000 pieds de ma moto.

Une fois mon paquet repris, je trouvai un autre paquet de format "King Size" et je l'ouvris et il ne manquait qu'une cigarette. Alors une fois revenu à ma moto, je dis à André: *"ça m'a payé d'arrêter car je suis rendu avec deux paquets de cigarettes"*. Alors nous avons repris la route et une fois arrivés à Toronto, j'ai pris des photos du nouvel Hôtel de Ville. Mais André ne voulait pas rester à Toronto car il n'aimait pas cette ville parce qu'il en avait gardé de mauvais souvenirs. Alors j'ai repris la route vers Ste-Catherine, sept milles avant d'arriver aux chutes Niagara. C'était la dernière étape car j'étais fatigué et j'avais parcouru plus de 500 milles. Il faisait 85° et c'était écrasant. André me présenta à un de ses amis qui était pasteur de Ste-Catherine. Il nous offrit l'hospitalité pour la nuit. Quelques minutes après, nous sommes repartis en voiture pour aller prendre un souper. Mais une fois que nous nous sommes, moi et André, bourrés à notre faim, monsieur "l'archevêque" a refusé que nous payions notre repas. C'est lui qui paya notre souper à notre place. Nous sommes revenus au presbytère, mais cette fois-ci, pour y passer la nuit. Mais il faisait toujours chaud et je m'endormis tard dans la nuit. Le lendemain, je me réveillai à 9:30. On m'offrit le déjeuner au presbytère. Après je déjeuner, nous sommes repartis pour aller visiter les chutes Niagara. Une fois arrivés là, quel panorama qui se dévoilait devant moi. Quand je vis les chutes Niagara pour la première fois, je trouvai ça merveilleux! Alors, j'ai pris une photo des chutes canadiennes car elles sont plus belles que les

Américaines. On voyait la bruine se dégager du fond des chutes pour s'élever vers le ciel. Nous sommes passés tout près des chutes. Aussi, j'ai rencontré des motards du Lac St-Jean et nous avons fait connaissance. Ces motards étaient des indépendants comme moi. Ils étaient quatre, deux couples par moto. Vers 1 heure, j'ai quitté les chutes pour retourner à Ste-Catherine. C'était très chaud. Il faisait toujours dans les 85 degrés. Je suis allé avec André prendre mon dîner au presbytère. Une fois le dîner terminé, "l'archevêque" de Ste-Catherine nous a offert l'hospitalité pour une semaine. Je l'ai remercié quand même en lui disant qu'il fallait se mettre en route car la température devenait insupportable. Je suis parti à 14:30 heures pour reprendre la route et revenir à Toronto. Mais nous ne sommes pas passés dans la ville car on voulait éviter les feux de circulation. Un peu plus loin, on a repris la 400 pour se diriger sur la 401. Plus loin, nous avons changé de route pour prendre la 69 jursqu'à Sudbury. De la route 18, nous sommes repartis pour Sault-Ste-Marie et une fois arrivés, j'étais fatigué de la route car il était minuit juste. Nous avions fait 9:30 heures de route! Nous avons passé la nuit dans un hôtel et le lendemain, vers les 10:30 heures, nous avons pris un petit déjeûner et nous sommes repartis pour la ville du "tonnerre". Ce sont les montagnes qui m'ont émerveillé. Il y avait des nuages avec des éclaircis. On partait du bas de la montagne avec une température de 80 degrés et une fois rendus au sommet, la température tombait à 45 ou 50 degrés. Nous étions obligés, moi et mon copain,

de nous habiller comme si c'était l'hiver à cause
du changement subit de température. Sur certains sommets de la montagne, nous étions dans
les nuages. Je ne le croyais pas, mais c'est vrai.
Une fois quittée la montagne, il nous restait
94 milles avant d'arriver à la ville du tonnerre
qui portait anciennement le nom de Port Arthur
et de Fort William. Aujourd'hui, les deux villes
jumelées en une seule s'appellent **la ville du
tonnerre**. Le soleil était très haut à l'horizon
et nous étions à 1,200 milles de Montréal. Nous
avons loué une chambre à l'hôtel et j'ai demandé
à André de me faire visiter la ville. Alors il a
accepté et moi et mon copain, nous sommes
partis pour visiter cette ville. À ma grande surprise, j'ai remarqué qu'il y avait beaucoup de
gens qui parlaient le français. J'ai discuté avec
eux. Même la police parlait les deux langues.
J'ai bien aimé cette ville. Dans la nuit, il y eut
un orage. Je fus réveillé par les éclairs. J'ai réveillé André pour qu'il me tienne compagnie
car j'avais peur des orages. Une fois l'orage
terminé, je me suis mis au lit. Le lendemain, je
me suis mis en route mais à la sortie de cette
ville, je me suis rendu compte que le "drum"
à l'huile de ma moto coulait. Alors j'ai été obligé de virer et couper mon voyage car ma moto
était sur sa garantie. Je suis descendu en prenant
la 11 Nord. Nous avons été obligés d'abandonner
cette route car il pleuvait beaucoup et la température était froide. Alors, on a loué un motel.
Mais j'ai bien aimé ce motel car dans le secteur
où on se trouvait, il n'y avait pas d'électricité.
Nous marchions avec des fanaux et j'aimais ce

coin car tout était mort. Il passait une voiture à toutes les deux heures. L'air était pur et le temps éclairci. Il était 10 heures du soir. Il faisait clair encore mais la température tombait très vite. Pour une deuxième semaine d'août, on se levait avec une température de 40 degrés à 10 heures du matin. Il fallait s'habiller comme si nous étions en hiver. Mais j'aimais ça car la température était moins humide qu'à Montréal.

Quand nous sommes repartis, j'ai pris des photos car j'aime les endroits isolés et tranquilles. Après ça, je pris la route vers North-Bay où j'ai encore loué un motel. Là aussi j'ai aimé la mentalité du monde. J'ai passé la nuit là. Le lendemain, la température était incertaine mais je pris un risque. Moi et André, nous sommes repartis vers Ottawa. Durant ce long trajet, le temps s'est mis au beau. Plus on se dirigeait vers le sud plus la température grimpait. Nous étions plus à notre aise. Une fois arrivés à Ottawa, j'ai pris des photos du parlement. C'est la ville même qui m'a surpris car elle grandit en hauteur. C'est comme ceux qui ont vu la place Ville-Marie grandir à Montréal.

Revenu à Montréal, je suis allé à Chambly. Mais en revenant de Chambly, vers St-Hubert, le filage passait au feu pour une deuxième fois. Alors, j'ai poussé ma moto sur une distance de trois milles, à pied. Aucune voiture ne s'est arrêté pour m'offrir de l'aide. Mais il faut s'attendre à ça. Les gens ne se sentent pas obligés envers les inconnus. À St-Hubert, un motard qui, comme moi, avait un B.M.W. 750, m'offrit son aide. J'étais heureux car j'avais l'espoir que quelqu'un viendrait m'aider. C'est la grande devise des motards. Alors, il est aller chercher un cable chez lui et revenu sur les lieux, il m'a accroché à sa moto pour me remorquer jusqu'à Montréal. Je le remerciai. Et à chaque fois que j'arrête à St-Hubert je prends des informations à son sujet. Il m'avait dit qu'il demeurait dans la place résidentielle. Mais quelle maison? Chaque fois que je vais le voir, il est toujours parti. J'espère qu'il ne m'en voudra pas.

Une autre chose que je voudrais faire remarquer aux automobilistes, c'est que certaines voitures nous suivent à un pied derrière notre moto. Pour certains, c'est un plaisir. Mais une chose que je veux faire voir à ces messieurs: je suis bien d'accord que d'anciens motards qui se sont mariés n'ont plus de motos car leur épouse leur ont demandé d'abandonner la moto pour une meilleur sécurité. Mais il ne faut pas s'en prendre aux motards qui possèdent une moto en cherchant à provoquer des accidents. Comme 10% des automobilistes acceptent de rendre service aux motards qui sont en difficultés, je souhaite que ce pourcentage augmente. Pour ceux qui cherchent le trouble ou la violence, ils méritent comme tous les endurcis de la société, leur sentence. Mais soyons juste envers nousmême et nous vivrons en paix.

Pour ceux qui voudront discuter avec moi, sur

la route ou ailleurs, ça me fera plaisir de vous rencontrer. Pour me reconnaître: j'ai un B.M.W. 750cc avec un support spécial qui pèse 50 livres. Au-dessus du dossier, j'ai un "stop" lumineux, qui est relié aux freins. Que l'ami de tous les non-violents, Jean-Guy Labrosse, puisse se faire écouter de tous les véhicules qui circulent en liberté sur nos routes, même d'une province à l'autre. Aidons-nous et ne cherchons pas la destruction. On veut tous vivre, alors conservons notre vie.

VI Nouvelle adoption pour l'orphelin adulte

J'aimerais qu'un jour tous nos orphelins adultes, puissent connaître une nouvelle adoption. Ces orphelins n'ont pas connu le vrai bonheur d'avoir un foyer parce que leurs parents les ont abandonnés trop tôt.

Je demande à toute famille sérieuse et généreuse de prendre avec eux ces victimes qui n'ont jamais rien fait à personne. Ils ne sont coupables de rien. Les institutions et l'État les considèrent comme un fardeau à trainer et ont hâte de s'en débarasser. Ils ne pensent pas au destin qui les attend parce qu'ils n'ont pas d'instruction et ne pourront jamais trouver un travail régulier comme tout le monde.

Notre monde moderne a beaucoup évolué mais l'orphelin manque toujours de l'affection de ses parents et aussi de l'instruction. Il devient donc condamné à être pauvre toute sa vie. Les gens d'aujourd'hui ne veulent pas s'occuper d'eux. Nos orphelins n'ont pas de sécurité parce que les gens deviennent de plus en plus indifférents à leur sort. Nos orphelins sont considérés comme des gens à part de notre société moderne.

Je ne comprends pas pourquoi ils sont des innocentes victimes de ce monde cruel. Ils n'ont pas de place dans notre monde moderne. Les gens devraient être tous des frères et penser à leurs semblables. Je demande à toute personne d'accepter nos orphelins parmi notre monde et de les aider à s'intégrer à notre société moderne. C'est un devoir pour nous. Ils ne sont pas responsables de ce qu'ils sont. J'admets que parfois certains font des choses qui ne sont pas bien mais pardonnons et j'espère qu'ils pourront lâcher les institutions pour pouvoir vivre comme tout autre être humain normal. On ne peut pas leur donner toute la faute à eux seuls.

Si je parle comme ça, c'est que je veux que nos orphelins ne soient plus considérés comme des personnes condamnées dans ce vaste monde. Il y a 65% de nos orphelins dans le Québec qui souffrent de cet isolement et qui ne peuvent pas s'épanouir. La plupart des orphelins ont un complexe de non-compréhension mais ils ne demandent pas beaucoup, juste l'amitié et le soutient de la société.

Si vous avez eu la chance d'avoir un père et une mère qui vous chérissent, je ne peux pas vous faire sentir toute la douleur et le malheur que nos orphelins éprouvent. Si vous êtes heureux auprès de vos parents avec une famille qui s'aime, je ne peux pas vous faire comprendre ce que ressent l'orphelin qui n'ose plus se considérer lui-même, comme un être humain faisant partie de la société. Ils savent qu'ils sont à part, dans un monde dur, celui des orphelins coupables qu'on oublie. Pourquoi? Parce qu'on le leur a répété trop de fois.

Vous qui vivez au centre d'une famille unie, vous ignorez la chance que vous avez. Vous ne réalisez pas à quel point vous êtes chanceux du bonheur qui vous enveloppe, de l'affection et de la compréhension de la part des membres de votre famille. Vous êtes assurés d'un avenir réussi parce que vous pouvez vous instruire.

Le taux des orphelins du Québec dépend de notre société moderne qui n'a jamais su comprendre ces malheureux, isolés et esclaves de notre monde.

Pour moi, il faudrait unir ces deux classes en une seule en acceptant l'orphelin comme membre de notre société. Ainsi, les supplices qu'ils endurent disparaîtraient. Ils auraient un père, une mère, des frères et des soeurs. L'orphelin ne demande rien de plus. Il ne serait pas question d'âge, de sexe, mais seulement de l'orphelin qui comme tous, a le droit d'être admis au centre d'une vie familiale.

Cette lutte des gens qui ont leurs parents contre ceux qui ne les ont pas ressemble à la ségrégation raciale aux États-Unis avec les Blancs et les Noirs. Mais j'admets que ce n'est pas ainsi pour tous les gens car comme dans toute chose, il y a le bien et le mal, il y a ceux qui comprennent et l'opposé. Peut-être, un jour les orphelins se révolteront.

Notre monde d'aujourd'hui est très ignorant au point de vue de l'évolution de nos orphelins-adultes. Pour 35%, leur évolution est normale et ils n'ont pas à se tourmenter au sujet de leur avenir. Mais pour les 65% qui restent, ce sont des incorrigibles parce qu'ils n'ont pas pu suivre une évolution normale et saine. Vis-à-vis les autres, ils sentent qu'ils n'ont pas de courage, ils n'ont pas confiance en eux ni aux autres parce qu'ils ne veulent pas les aider.

Les gens oublient vite toutes les misères de nos orphelins. Les gens d'aujourd'hui ne semblent pas conscients de l'existence de ces malheureux.

Lettre à mes bienfaiteurs

Je tiens à féliciter tous les gens qui ont acheté le livre "Ma chienne de vie" et qui lisent la suite de "Ma chienne de vie" soit "L'orphelin, esclave de notre monde". C'est à la demande de mon public que j'ai décidé d'écrire ce livre. Je termine en disant à tous ceux qui liront ce deuxième volume qu'il y a beaucoup à faire dans notre monde moderne. Il faut admettre que dans notre société d'aujourd'hui, il y a des gens qui viennent en aide à leurs semblables en cherchant à aider ceux qui n'ont pas eu la chance de repartir dans notre vie moderne, comme moi. Si quelqu'un me demandait comment ma vie d'aujourd'hui va, je lui répondrais que je suis un type très heureux grâce à mon entourage. Mais seul, je n'aurais jamais pu faire une vie normale. C'est parce que j'ai eu un bon milieu qui a collaboré à améliorer le sort de chaque individu sans chercher à les exploiter, comme certains qui cherchent à en faire des esclaves. J'ai toujours cherché la justice. Mais notre monde évolue très mal de nos jours, et il faut remédier à toutes ces injustices car si nous ne cherchons pas à améliorer le sort de notre société misérable, beaucoup d'innocents souffriront. Il faut bâtir une vie paisible. J'ai déjà fait face à des endurcis de notre société qui m'ont fait passer de mauvais quarts d'heure. Je sais que de nos jours, il est dur d'affronter un public qui a une mentalité différente, en unissant les gens de bonne volonté, on y arrivera. Avant qu'il ne soit trop tard, prouvons qu'il y a quelque chose à faire. Donnons-nous la main et continuons à améliorer le sort de chaque individu.

Je termine en vous demandant de vivre comme des frères. Je souhaite à tous ceux qui combattent la misère du monde qu'il y ait un grand amour envers ceux qui n'ont jamais été compris. Aux endurcis qui cherchent à mépriser ou à torturer les autres, je fais appel à leur bon sens et si c'est inutile, il ne reste qu'à demander aux honnêtes gens de faire en sorte que justice soit faite et que ces endurcis soient eux qu'on isole, qu'ils deviennent les esclaves de notre monde et non plus les orphelins.

Table
des matières

*Achevé d'imprimer
par les travailleurs de l'imprimerie
Les Éditions Marquis Ltée de Montmagny,
le dix-huit septembre mil neuf cent soixante-dix-huit,
pour les Éditions du Jour.*